Deu

EINFÜHRUNG SOWIE AUSWAHL UND
AUSGABE DER MITTELHOCHDEUTSCHEN TEXTE
VON FRIEDRICH NEUMANN

NACHDICHTUNG VON
KURT ERICH MEURER

PHILIPP RECLAM JUN. STUTTGART

Universal-Bibliothek Nr. 7857/58
Alle Rechte vorbehalten. © Reclam-Verlag GmbH., Stuttgart, 1954
Gesetzt in Petit Garamond-Antiqua. Printed in Germany 1971
Herstellung: Reclam Stuttgart
ISBN 3 15 007857 1

Einführung

I

Ludwig Tieck hat im Jahre 1803 seiner Sammlung altdeutscher Minnelieder die Überzeugung vorangestellt, es gebe nur »*eine* Poesie«, die in sich selbst von den frühesten Zeiten bis in die fernste Zukunft ein »unzertrennliches Ganze« ausmache. Sie sei nichts weiter als das »menschliche Gemüt selbst in allen seinen Tiefen«, das sich »auf unendliche Weise« zu gestalten suche. Wer dieser Überzeugung folgt, ist bereit, sich der Lyrik vergangener Zeiten aufzuschließen. Unabhängig von solcher Bereitschaft hat das Wort ›Minnesang‹ seit den Tagen der Romantik einen zauberhaften Klang. Darin liegt die Gefahr, das Eigentümliche des Minnesangs unter dem Einfluß täuschender Vorstellungen zu verfehlen.

Was wir Minnesang zu nennen pflegen, ist eine hochmittelalterliche Erscheinung, in der westromanischer und deutscher Sprachbereich verbunden sind. Im Minnesang spricht aus den Klängen der jungen abendländischen Sprachen zum erstenmal ein streng lyrisches Dichten, das von der Verantwortung der Schaffenden getragen wird. Ein lyrisches Ich stellt sich in Liedschöpfungen einer gesellschaftlichen Kunst dar, die an den Namen des Künstlers geheftet bleiben. Der erste Sänger, den wir greifen können, ist Herzog Wilhelm IX. von Aquitanien (1071–1127), der der Generation der ersten Kreuzzugszeit angehört. Wir stehn mit ihm im südfranzösischen Sprachbereich: im Bereich der ›provenzalischen‹ Sprache, in der zunächst der Minnesang aufblüht. Diese Kunst der ›Troubadours‹ erreicht ihre reinste Darstellung spätestens um die Mitte des 12. Jahrhunderts durch Bernart von Ventadorn. Damals klingen auch erste nordfranzösische Lieder auf. Als sich diese nordfranzösische Lyrik der ›Trouvères‹ nach provenzalischem Vorbild in die Breite entfaltet, bewegt sich bereits auch deutscher Minnesang mit der Fülle seiner

Kunst auf einem eigenen Höhenzug. Seine Entwicklung sei in wenigen zusammenfassenden Sätzen angedeutet.

Frühe Klänge. Bald nach der Mitte des 12. Jahrhunderts, in der Zeit, in der der Staufer Friedrich I. Barbarossa (1152 bis 1190) das Reich übernimmt, entstehen die ältesten der uns erhaltenen lyrischen Gefüge, die die Überlieferung »dem von Kürenberg« zuteilt. Sie haben im Versgang, im Strophenbau und in der Aussage Bezeichnendes, das sich nicht aus westromanischer Liedkunst herleiten läßt. Den Aufbruch in diese lyrische Minne dürfte provenzalischer Minnesang nur aus wirkungsschwacher Ferne angeregt haben. – *Neuer Sang.* Mit den 70er Jahren des 12. Jahrhunderts heben Dichter des alemannischen und fränkischen Westens den Minnesang auf die Ebene der provenzalischen und nordfranzösischen Kunst. Nicht so sehr der für sich stehende Niederfranke Heinrich von Veldeke, sondern der auf Barbarossas Kreuzzug gefallene mittelrheinische Friedrich von Hausen zeigt am sinnfälligsten diesen Wandel an, der für die weitere Entwicklung des Minnesangs entscheidend ist. – *Erfüllte Zeit.* Sie bringt auf hochritterlicher Schaffensebene einen Minnesang, aus dessen unverbrauchter Sprache eine vorbildliche Liedwelt aufsteigt. Dieser Minnesang setzt in den 80er Jahren des 12. Jahrhunderts ein und reicht, wenn man von Walther von der Vogelweide absieht, im ganzen nicht über das zweite Jahrzehnt des 13. Jahrhunderts hinaus. Am geschlossensten stellt sich dieser ›hohe Sang‹ in der Kunst des Ritters Reinmar und in der Kunst des Ritters Heinrich von Morungen dar. Walther von der Vogelweide, lange ein ritterbürtiger ›Vagant‹ und darin ›gelehrten‹ Berufskünstlern nahe, erweitert das lyrische Feld erhöhender Minne, bei kühnem Ausgreifen im Widerstand gegen alles, was die hochritterliche Minnewelt ins Zwielicht rückt. – *Wende und Nachklang.* Die Hochwelt höfisch-ritterlicher Minnesprache verliert verhältnismäßig schnell an Schöpfungen, die am zeitechtesten sind, an gültiger Wirklichkeit. Sie mischt sich mit einer niederen Minnewelt, oder sie bewegt sich auf eine gesellschaftliche Spielwelt zu, deren Minnesang etwas von kunstgewerblichem Charakter annimmt. In solcher Mehrdeutigkeit der Minnesprache ist begründet, daß sich jetzt ein Dichter verschiedenen Minnewelten zuwenden kann. Dies alles tritt ein, ehe die sozialen und wirtschaftlichen Veränderungen des 13. Jahrhunderts voll wirksam werden. Das bedeutendste Talent der Wende, der Ritter Neidhart, hat bereits im zweiten Jahrzehnt des 13. Jahrhunderts Ruf. Man mag das Ende dieser produktionsreichen Schwebezeit behelfsmäßig durch das Ende der Staufer (die Jahre 1250/1260) abstecken. – *Späte Klänge.* Der Minnesang schwingt noch aus dem späteren 13. Jahrhundert in das frühe 14. Jahrhundert hinein. Er behält alle Züge der vorausgehenden Schwebezeit bei. Aber er klingt jetzt in einer Welt, die ihn in keiner seiner prägenden Eigenheiten hätte erzeugen können. Das Urständische des Ritterwesens verliert sich in den Lebensbereichen der Landesfürsten, Landesherrn und städtischen Patrizier. Der Minnesang wird zu einer Meisterkunst, die gepflegt wird, weil es die Kunst des Minnesangs gibt. Schon die Wende des 13. zum 14. Jahrhundert vollzieht sich unter geistigen Bedingungen, die jene Einheit der Seelenkräfte aufheben, die sich im erfüllten Minnesang ausdrückt. Was Wunder, daß die Klangbewegung jenseits der Musik an Spannung einbüßt und daher Versgang und Sprachklang nicht mehr immer zusammenstimmen!

Wer den Minnesang verstehen will, muß sich an die Züge halten, in denen er sich auf der Höhe seiner Entwicklung darbietet. Was verleiht ihm damals seine unverwechselbare Eigenart?

Das Minnelied ist Lied im strengsten Sinne. Das Versgefüge ist zugleich ein musikalisches Gefüge: der Dichter singt, indem er spricht. Neben den mittellateinischen Hymnen und Sequenzen der Kleriker erklingen die Lieder und ›Leiche‹ weltlicher Sänger: der Ritter und dann auch der ›Meister‹. Dies Zusammen von Melodie und Sprechgang will gerade deshalb beachtet sein, weil für die große Zeit des deutschen

Minnesangs die Melodien so gut wie ganz verloren sind. Für
uns Nachfahren deutet sich die Bewegung der Melodien in
der Art an, wie sich Strophen aus Perioden von Versen auf-
bauen und wie dieser Aufbau durch das Spiel der Reime in
die Sinne fällt. Hinweis genug, daß altdeutsche Minnelieder
nach lautem Lesen verlangen!

Der Minnesang ist eine gesellschaftliche Kunst. In der Echt-
heit seiner gebundenen Liedsprache bezeugt sich die Hin-
wendung zu einer erlebten Seelenwelt. Was an Erregendem
in den frühen und jugendlichen Minnesang einfließt, ist
Ausdruck dafür, daß durch sprachliche Bewußtheit ein
neues Verhältnis des Ich zum Du, und zwar des männlichen Ich
zum weiblichen Du, entdeckt wird. Aus dem Gefühl des Ab-
stands heraus stellt sich dem männlichen Ich das Weibliche
in einem Wunschbild dar, das den Sehnenden zu sich hin-
zieht. Ein merkwürdiger Vorgang gegenseitiger Lebenssteige-
rung, der zu seiner Dauer immer wieder neue Anläufe
braucht und als unerfüllte Sehnsucht am eindringlichsten
aussprechbar ist! Kein Zweifel, daß zunächst hochfürstliche
Frauen aus ihrer gesellschaftlichen Stellung heraus als Bei-
spiele und Vorbilder den ›hohen Sang‹ von Minne gefördert
haben. Die Ehefrage muß wie bei fast aller Liebeslyrik im
allgemeinen beiseite bleiben, zumal damals die Ehevorstel-
lung nicht von Minnebeziehungen, sondern von Eheaufgaben
ausgeht. Der deutsche Minnesang ist so lange in seiner Le-
bendigkeit gegen Erschütterungen gefeit, als die Ritter (die
Freiherrn und die unfreien Ministerialen) in bewegten Lebens-
verhältnissen aufstreben und noch nicht im engeren Sinne
Hof- und Landadel verfestigter Landesherrschaften sind.

In der Sprache des hochentwickelten Minnesangs hat der
reife Walther Minne als ›liebe‹ gefaßt: als froh machende
Zuneigung zum Anmutenden weiblichen Wesens jenseits
ständischer Unterschiede. Und er hat solche Minne ausdrück-
lich auf eine mädchenhafte Erscheinung bezogen. Doch wir-
ken auf die Zukunft Neidharts lyrische Genrebilder, die im
Zuge einer zweideutigen Werbungsminne vom Trieb ge-

lenkte Dörferinnen als weibliche Lockbilder erscheinen lassen. Von diesen Tagen an weitet sich der Minnesang unter der Gefahr des Verflachens auf eine Welt, die zwischen hochstrebender Minne und triebhafter Minne gespannt ist. In diesem Weiterwerden der Minnewelt bekundet sich zugleich das Nachlassen der seelischen Kräfte, die ehedem den Minnesang erzeugten.

Am Minnesang hören vorbei, die ihn wie ein künstlich Gemachtes, ja wie eine gesellschaftlich verabredete Mode ansprechen. Wohl konnte der Minnesang nur unter bestimmten geschichtlichen Bedingungen entstehen. Er verlangt eine gehobene Geselligkeit, die als gepflegtes Spiel geübt werden kann. Er hat geistige und seelische Voraussetzungen, zu denen der Ideenrealismus des 12. Jahrhunderts gehört. Und gewiß wird Minnekult und Minnekultur zunächst aus romanischer, vor allem südromanischer Freude an sinnlicher Darstellung geboren. Fast selbstverständlich ist auch, daß literarische Anregungen in den Minnesang einströmen, die von der Forschung beachtet sein wollen. Aber einseitig ableitbar ist er nicht, wie sich denn in echt Geschichtlichem stets ein kernhaft Unableitbares verbirgt. Wie sollte auch das Schaffen echter Dichter einer künstlich gemachten Welt dienen? Daß die Minne als bildende Macht nach ihrer ersten Entdeckung immer wieder in sprachliche Bewußtheit überzugehen vermag, dafür nur ein Beispiel aus anderer Zeit. Nicht nur Goethes Beziehung zu Frau von Stein ist eine Beziehung von ›hoher Minne‹ eigener Art. Auch sonst bietet sich Goethes Welt der Liebe als ein Spannungsfeld von Minneregungen dar. Soweit überhaupt in ein höheres seelisches Bewußtsein die Polarität von Mann und Frau aufgenommen wird, ist von Kunst und Dichtung die bildende Macht der Minne nicht zu trennen. Dabei bleibt, daß nach geschichtlichem Ausweis nur im Atmosphärischen des 12. Jahrhunderts der abendländische Minnesang aufsprießen und als Möglichkeit lyrischer Aussage zeitbestimmend werden konnte.

II

Im späteren 13. Jahrhundert beginnt man die lyrischen
Schöpfungen der vorausgehenden Zeit und der Gegenwart
in Sammelhandschriften zu vereinigen. Genannt seien die
drei ältesten Handschriften, drei Pergamenthandschriften
des deutschen Südwestens, der damals am stärksten Tradi-
tion hält: 1. Die kleine Heidelberger Liederhandschrift mit
34 Namen, hergestellt im späten 13. Jahrhundert, vielleicht
für den bischöflichen Hof von Straßburg; 2. die in Stuttgart
liegende Weingartner Liederhandschrift aus dem Beginn des
14. Jahrhunderts, eine bebilderte Handschrift mit 31 Namen,
hergestellt in Konstanz; 3. die bebilderte große Heidelberger
Liederhandschrift mit 140 Namen, hergestellt in Zürich in
der ersten Hälfte des 14. Jahrhunderts, gegründet auf eine
Liedersammlung, die in Zürich Mitglieder des patrizischen
Rittergeschlechts Manesse angelegt haben. Alle drei Hand-
schriften geben keine Melodien. Sie sind keine Handexem-
plare für Vortragende, sondern wertvolle Lesebücher für
einen sich verengernden Kreis von Liebhabern.
Aus dem Reichtum des Überlieferten kann hier nur eine
kleine Zahl von Liedwerken ausgewählt werden. Diese Bei-
spiele sollen hörbar machen, wie sich der deutsche Minnesang
durch rund anderthalb Jahrhunderte hindurch in seine Mög-
lichkeiten entfaltet. Um das Dargebotene fester auf den ge-
schichtlichen Boden zu stellen, seien die Sänger, soweit es die
Überlieferung zuläßt, zeitlich und landschaftlich festgelegt.

Namenlose Lieder. Zwei einstrophige Lieder, aufgebaut in
Gruppen paarweis gereimter Verse, überliefert unter Diet-
mar von Eist. Beide Lieder, für deren Reime der Anklang
genügt, sind um 1150 möglich.
Der von Kürenberg. Die hier ausgewählten Strophen sind
Gefüge aus vier endgereimten Langversen. Diese Kürenberg-
weise erscheint als geglättete Erzählstrophe im Nibelungen-
lied. Der Kürenberger, dem für seine Reime gleichfalls noch

der Anklang genügt, ist nicht sicher zu greifen. Gewiß war er Ritter. Wahrscheinlich ein Österreicher. Doch wird auch an ein Geschlecht des Breisgaus gedacht. Die Lieder sind um 1150 oder bald danach möglich.

Meinloh von Söflingen. Er ist ein urkundlich nicht bezeugter Ministeriale, der nach Söflingen unweit Ulm heißt, also ein Schwabe. Unsere Auswahl bringt einstrophige Lieder, deren Perioden sich noch aus Langreihen aufbauen. Sie entstanden wohl spätestens um 1170.

Dietmar von Eist. Glied eines österreichischen freiherrlichen Geschlechts, das sich nach der Aist, einem kleinen nördlichen Nebenfluß der Donau, nennt. Der Sänger ist nicht sicher zu fassen. Unter seinem Namen sind Lieder überliefert, die nicht demselben Dichter gehören können. Mit großer Wahrscheinlichkeit darf man ihm die angeführten Gefüge aus endgereimten Langversen zuteilen. Sie lassen sich der Zeit um 1170 zusprechen. Recht zweifelhaft ist, ob das ›Friedellied‹ »Abschied am Morgen« von Dietmar stammt.

Heinrich von Veldeke. Eine Art ›gelehrter‹ Ritter, Ministeriale, Niederfranke aus der im Limburgischen gelegenen Grafschaft Loon. Berühmt durch seine »Eneide«, eine Bearbeitung des nordfranzösischen Eneas-Romans in gepflegten Versen. Seine schlichte Liedkunst von heiterer Grundstimmung entsteht in einer niederfränkischen Gesellschaftssprache, ist aber handschriftlich nur in einer behelfsmäßig hochdeutschen Wiedergabe überliefert. (Unser Text folgt dem Versuch von Theodor Frings, den ursprünglichen Wortklang zurückzugewinnen.) Veldeke beginnt um 1170 und scheint das Jahr 1190 nicht erreicht zu haben.

Friedrich von Hausen. Freiherr aus einem rheinfränkischen Geschlecht des Nahegebietes, zum engeren Kreis der Staufer gehörig. Urkundlich zuerst 1171 bezeugt, etwa vierzigjährig am 6. Mai 1190 auf dem Kreuzzug Barbarossas in Kleinasien gefallen. Mit romanischem Minnesang vertraut, gewinnt er in dieser Frühzeit der deutschen Liedkunst eine hochritterliche Formensprache.

Kaiser Heinrich. Es sollte außerhalb jedes Zweifels sein, daß das 13. Jahrhundert aus sicherer Überlieferung drei Lieder dem Staufer Heinrich VI. zuwies. Der hochbegabte Sohn Barbarossas und der burgundischen Beatrix wurde im Spätjahr 1165 geboren, vermählte sich im Januar 1186, folgte im Sommer 1190 seinem Vater auf dem Thron und starb (ein folgenschweres Ereignis) bereits am 28. November 1197. Die Lieder, die in ihrem Gefüge an ältere Kunst erinnern, sind gewiß vor 1190, wohl spätestens um 1185 entstanden.

Hartmann von Aue. Ministeriale, der sich selbst einen Schwaben und einen »gelehrten« Ritter nennt. Wahrscheinlich Alemanne aus dem Raume zwischen Bodensee und Rheinknie. Wer sich auf das Wappen verläßt, das ihm der Miniator der Manessischen Handschrift gibt, wird ihn für einen Thur- oder Zürichgauer des Rheingebietes halten. Seine stilbildende Kraft entwickelt er in der Verserzählung. Aber auch durch seine Liedkunst hat er gewirkt. Mit ihr wird er bald nach dem Jahre 1180 eingesetzt haben. Schwerlich sind alle Lieder Jugendgedichte.

Reinmar. Aus einer Ministerialenfamilie, die ihm noch keinen Familiennamen mitgab; in der Manessischen Handschrift auch »Herr Reinmar der Alte« genannt, d. h. der ›Ältere‹ im Unterschied zu anderen Sängern dieses Namens. Gottfried von Straßburg bezeichnet ihn in einem Nachruf als »Nachtigall von Hagenau«, was seine elsässische Herkunft so gut wie sicher macht. Seine »Witwenklage«, gedichtet im Frühjahr 1195 zum Tod des Babenberger Herzogs Leopold V., und sein gespanntes Verhältnis zu Walther lassen erkennen, daß er mindestens seit den 90er Jahren des 12. Jahrhunderts bis zu seinem gegen 1210 erfolgten Tode aus uns unbekanntem Anlaß in Wien gelebt hat. Nur-Lyriker verselbständigt er durch seine Versgänge und seine Sprache den deutschen Minnesang gegenüber romanischem Einfluß: Künder eines Frauenkultes, der aus unerfüllter Sehnsucht aufsteigt.

Heinrich von Morungen. Aus einem nordthüringisch-mansfeldischen Geschlecht, aber urkundlich als Ministeriale des Markgrafen Dietrich von Meißen bezeugt. Im Jahre 1217 wird er als »miles emeritus« (als »ausgedienter Ritter«) angesprochen, wahrscheinlich ist er im Jahre 1222 gestorben. Er wird also schon vor dem Jahre 1190 als Sänger hervorgetreten sein. In seiner Lyrik, gleich Reinmar auf Frauenkult eingeschränkt, ist er der Schöpfer einer strahlenden, in sich reich differenzierten Kunst.

Albrecht von Johannsdorf. Niederbayer, Ministeriale des Passauer Bischofs, urkundlich zuerst um 1180/1185, zuletzt zum Jahre 1209 bezeugt. Er wird an dem von Heinrich VI. eingeleiteten Kreuzzug der Jahre 1197/98, nicht, wie man vielfach meint, an Barbarossas Kreuzzug teilgenommen haben. Gustav Freytag hat in den »Bildern aus der deutschen Vergangenheit« (1866) an den Liedern des tief Veranlagten den staufischen Minnesang erläutert.

Walther von der Vogelweide. Ritterbürtig, aber nicht Ritter von Beruf. Nur einmal außerhalb von Dichtung bezeugt: durch eine Reiserechnung des Passauer Bischofs für den 12. November 1203 unweit Wien, dort »cantor de Vogelweide« genannt und damit wohl als ›gelehrter‹ Musiker gewertet. Mit seinem Minnesang beginnt er um 1190 im Wien der Babenberger. Vom Jahre 1198 an, dem Jahr der doppelten Königswahl, wird er ›Fahrender‹, ein ritterbürtiger ›Vagant‹. Neben dem Minnesang schafft er nunmehr Gedankendichtung (sog. Spruchdichtung) verschiedener Art, in einigen lyrischen Werken auch religiöse Dichtung. Er bereitet damit die ›Meister‹-Dichtung der spätmittelalterlichen Berufskünstler vor. Das Gedankenhafte spielt auch gestaltend und erhellend in seinen Minnesang hinein. Gesteigerter Bewußtheit verdankt er, daß er nicht ohne Humor mit Abstand auf die höfisch-ritterliche Minnewelt sieht. Um 1230 verschwindet er aus unserem Gesichtsfeld.

Wolfram von Eschenbach. Er heißt nach dem ostfränkischen Eschenbach südöstlich Ansbach (dem heutigen Wolframs-Eschenbach). Der geniale Dichter ist Berufsritter im strengen

Sinne. Seine starke lyrische Begabung bindet er, von wenigen
Liedern abgesehen, an sein weites Erzählwerk. Die von ihm
erhaltenen Lieder sind fast alle sogenannte ›Tagelieder‹,
Lieder, in denen der Abschied der Liebenden szenenhaft-
lyrisch erfaßt wird. Der warnende Wächter des provenza-
lischen ›Tageliedes‹ wird von ihm aufgenommen.

Neidhart. Bairischer Ritter (Ministeriale), schon um das
Jahr 1215 für Wolfram ein bekannter Lyriker. Um 1230
verliert er sein bairisches Lehen und tritt nach Österreich
über. Den Tod des letzten Babenbergers im Jahre 1246 hat
er nicht mehr erlebt. In der Überlieferung heißt er nur
»(her) Nithart«; der Name ›von Reuental‹ ist lyrischer
Deckname, der vielleicht Anhalt an einem bairischen Flur-
namen hat. Neidhart ist ein origineller Lyriker von unge-
wöhnlicher Wirkung, zugleich ein bedeutender Musiker.
Frühzeitig leitet er in eigener Weise die Auflösung des hoch-
ritterlichen Minnesangs ein. Dies erreicht er, indem er der-
bere Sinnlichkeit in Dorfszenen lyrisch darstellt. Er schafft
sich hierfür den Typus der ›Sommerlieder‹, die als so-
genannte ›Reihen‹ überwiegend von den stolligen Strophen-
formen abweichen, und den Typus der ›Winterlieder‹, die
in ihrer Normalform Überraschungen haben.

Otto von Botenlauben. Er entstammt dem ostfränkisch-
thüringischen Geschlecht der Grafen von Henneberg. Er
nimmt, wohl als junger Ritter, am Kreuzzug 1197/98 teil.
Er heiratet um 1208 die Tochter des Seneschalls von Jerusa-
lem, trotz Aufenthalts in Syrien wohl in dauernder Fühlung
mit der Heimat. Im Jahre 1220 kehrt er endgültig auf die
Burg Botenlauben bei Kissingen zurück. Er stirbt 1244/1245
(Grabmahl in der Klosterkirche Frauenroth bei Kissingen).
Sein Dichten von ›hoher Minne‹ bewegt sich im Zuge seines
Lebens zwischen Altem und Neuem.

Friedrich von Leiningen. Aus dem machtvollen rheinpfälzi-
schen Grafengeschlecht derer von Leiningen. Erhalten nur
ein Abschiedslied von echtem Ausdruck, das wie Nachklang

der großen Kunst wirkt, vielleicht entstanden, bevor der Sänger nach Apulien zum Kreuzzug 1227/28 aufbrach.

Ulrich von Lichtenstein. Steiermärkischer Ministeriale, geboren um 1200, erfolgreicher Landespolitiker, 1222 Ritter geworden, 1241 Truchseß der Steiermark, nach dem Ende der Babenberger auch unter Ottokar von Böhmen einflußreich, 1272 Landesmarschall der Steiermark, gestorben 1275/1276 vor dem Sieg Rudolfs von Habsburg. Im Jahre 1255 stellt er in einer Verserzählung sein Leben mit romanhaften Zügen als ›Frauendienst‹ dar, seine Lieder fügt er der Erzählung ein. Die Lieder haben keinen Tiefgang, aber die Welt hoher Minne wird in veränderter Zeit durch verbindliche Wendungen festgelegt. Zweimal nimmt er die Ausfahrt zum Waffendienst (die ›ûzreise‹) in den Minnesang auf.

Burkhard von Hohenfels. Der älteste von drei schwäbischen Minnesängern, in deren Kunst sich die Stilwende in verschiedener Weise zeigt. Ministeriale mit Burg am Überlinger See, urkundlich bezeugt seit 1212, von 1222 an mehrere Jahre in der Umgebung König Heinrichs (VII.), des jungen Staufers, der mit seinem kaiserlichen Vater Friedrich II. zerfällt; dann noch einmal urkundlich 1242: mithin als Lyriker ein Zeitgenosse Neidharts. Ein ausgesprochen ›gelehrter‹ Minnesänger von großer Begabung, der neue am Realen haftende Sinnbilder für seine Minnewelt sucht.

Gottfried von Neifen. Aus einer im früheren 13. Jahrhundert stark hervortretenden freiherrlichen Familie, die sich nach ihrer bei Urach gelegenen Burg (Hohenneufen) nennt. Er steht 1235 auf seiten König Heinrichs im Kampf gegen den Kaiser. Urkundlich ist er bis in das Jahr 1255 bezeugt. Als Dichter hat er seine Freude am kunstgewerblichen Spiel. Das macht seinen Sang tänzerisch beschwingt, verflacht zugleich die Minnesprache ins Formelhafte.

Ulrich von Winterstetten. Aus angesehener schwäbischer Ministerialenfamilie, die Träger des Schenkenamtes ist, und zwar wohl aus dem Nebenzweig derer von Schmalneck.

Nicht vor 1241 bezeugt, 1258 bereits Augsburger Kanonikus, 1280 noch als Domherr genannt. Sein Minnesang gehört der Jahrhundertmitte an und ist bereits zu sehr Kunst geworden.

Der Tannhäuser. Er ist wohl ritterbürtig und entstammt vielleicht einer bairisch-oberpfälzischen Familie. Er nimmt am Kreuzzug Friedrichs II. 1228/29 teil, lebt in wohlhabendem Dasein bei dem letzten Babenberger, verarmt bald nach dessen im Jahre 1246 erfolgten Tod, weilt dann, für uns noch 1265 faßbar, als Fahrender an Fürstenhöfen. Seine Minnewelt schwebt zwischen ›hoher‹ und ›niederer‹ Minne: eine Spielwelt, die mit heiterer Ironie betrachtet sein will. Das Eigenste gibt er in seinen ›Leich‹-Kompositionen. Die Tannhäusersage der spätmittelalterlichen Tannhäuserballade entsteht erst nach seinem Tode.

Konrad von Würzburg. Berufsdichter, damit ständisch gesehen ein ›Fahrender‹. Der ›gelehrte‹ Meister, bei dem der Zusatz ›Würzburg‹ nur die Herkunft meint, ist etwa seit der Jahrhundertmitte im alemannischen Südwesten tätig, wohl schon damals mit Wohnsitz in Basel. Dort ist er wohlhabend im Jahre 1287 gestorben. Als Epiker der letzte große Erzähler in der von Hartmann und Gottfried entwickelten Höhensprache. In seinen Minneliedern ein anspruchsvoller Künstler.

Der wilde Alexander. Das heißt wohl der ›ungezähmte‹, schweifende Alexander‹, wobei Alexander ein Deckname sein wird. Ein ›Fahrender‹ und damit ein ›Meister‹. Wahrscheinlich von alemannischer Herkunft. Er schafft im späten 13. Jahrhundert. Der Nicht-Ritter wählt für sein Berufsdichten die ›hohe‹ Minnewelt. Die Melodien seiner Lieder und Leiche sind erhalten.

Steinmar. Wohl zu Steinmaren gehörig, die aus dem rheinischen Klingenau an der unteren Aare stammen, damit Ministeriale der Herrn von Klingen. Mit Rudolf von Habsburg ist er 1276 nach Wien gezogen. Am berühmtesten ist sein hier nicht aufgenommenes »Herbstlied«, ein Lied, in dem das »arme Minnerlein« die Schlemmerei als Ersatz unbelohnter Minne preist.

Konrad Schenk von Landeck. Thurgauer, Ministeriale der Grafen von Toggenburg, Träger des St. Gallener Schenkenamtes. Der Dichter ist wohl jener Konrad, der vom Jahre 1271 bis zum Jahre 1306 urkundlich bezeugt ist. Das gewählte Lied (Gruß von der Aisne in das Schwabenland) ist vielleicht im Jahre 1289 auf einem Kriegszug Rudolfs von Habsburg entstanden.

Wenzel von Böhmen. Wohl König Wenzel II. (1278–1305), der Sohn Ottokars II. Dieser heiratet im Jahre 1287 Guta, die Tochter Rudolfs von Habsburg, die bereits 1297 stirbt. Das herausgehobene Gedicht ist spätes 13. Jahrhundert. König Wenzel soll zugleich für andere fürstliche Sänger dieser Spätzeit stehen, die am Rande der ›literarischen‹ Landschaften Minnesang pflegen: für den Markgrafen Otto IV. von Brandenburg (1266–1308), den Herzog Heinrich IV. von Breslau (1270–90), den Fürsten Wizlav III. von Rügen (1309 bis 1325).

Johannes Hadlaub. Urkundlich für das Jahr 1302 durch einen Hauskauf für Zürich bezeugt. Berufsdichter (›Meister‹) nichtritterlicher Herkunft, begünstigt durch den mit Zürich verbundenen Adel, besonders durch Rüdeger II. aus dem Hause Manesse, der vom Jahre 1252 an bezeugt ist und 1304 stirbt. Nur durch Hadlaub ist bekannt, daß Rüdeger II. und sein Sohn, der Chorherr Johannes (gest. 1297), Minnelieder sammelten. Hadlaub ist in der Künstlichkeit seiner Kunst ein vielseitiger Poet, originell in Liedern, die bewegte Genrebilder des eigenen Lebens geben. Aber seine Verssprache trägt nicht mehr und wird bereits durch den regelmäßigen Rhythmus der Melodien überwunden. Gottfried Keller hat in der ersten seiner im Jahre 1877 veröffentlichten »Züricher Novellen« versucht, für den Dichter ein Alltagsleben zu erfinden, aus dem sich seine Lieder erklären sollen.

III

Auch im 14. und 15. Jahrhundert gibt es eine Meisterkunst, die in einem flacheren Wortsinne Minnesang sein kann: Liedkunst, bezogen auf das Verhältnis von Mann und Frau. Diese Art Minnesang endet im Gesellschaftslied des späten Mittelalters, soweit es Liebeslied ist. Die neue Hochkunst, die nach den Stürmen der Reformzeit aufsteigt und im barocken 17. Jahrhundert seit den Tagen Opitzens den literarischen Raum beherrscht, führt die altdeutsche Tradition nicht unmittelbar fort. Erst neue Vorstellungen von der Kunst des Dichtens machen auch den Blick für den altdeutschen Minnesang frei. Es ist nicht zufällig, daß der Minnesang dort entdeckt wird, wo sich ehedem ein Empfinden für die Hochkunst des Minneliedes am längsten erhalten hatte. Der Züricher Professor Johann Jacob Bodmer (1698–1783) gibt 1749 »Proben der alten schwaebischen Poesie des 13. Jahrhunderts« aus der Manessischen Handschrift; 1758 bis 1759 läßt er seine »Sammlung von Minnesingern aus dem Schwaebischen Zeitpuncte« folgen. An »echte Liebhaber« wendet sich sodann der junge Ludwig Tieck (1773–1853) mit Bearbeitungen: seinen »Minneliedern aus dem Schwaebischen Zeitalter« vom Jahre 1803, die nicht nur auf das Dichten seiner Freunde, sondern auch auf die Anfänge der altdeutschen Studien wirken. Romantisches Denken bestimmt auch Friedrich Heinrich von der Hagens vierteilige Ausgabe »Minnesinger« vom Jahre 1838, die bei aller Unvollkommenheit noch heute die einzige Sammlung ist, die das Überlieferte in einem großen Werk vereinigt. Einen bedingten Ersatz bot lange Zeit die mehrfach aufgelegte Auswahl »Deutsche Liederdichter des zwölften bis vierzehnten Jahrhunderts«, die Karl Bartsch 1864 und 1878 vorgenommen hatte.

Die kritischen Ausgaben, denen unsere Auswahl der Texte verpflichtet ist, setzen 1827 mit Karl Lachmanns (Ludwig Uhland gewidmeten) Band »Die Gedichte Walthers von der

Vogelweide« ein, deren 10. Ausgabe 1936 Carl von Kraus besorgt hat. Genannt seien ferner: »Des Minnesangs Frühling«, zuerst 1857 herausgegeben durch Karl Lachmann und Moriz Haupt, zuletzt 1940 durch Carl von Kraus; »Neidharts Lieder«, 1857 herausgegeben durch Moriz Haupt (erneut 1923 durch Edmund Wießner); »Die Schweizer Minnesänger«, 1886 herausgegeben durch Karl Bartsch; »Deutsche Liederdichter des 13. Jahrhunderts«, 1952 herausgegeben durch Carl von Kraus; »Liebeslyrik der deutschen Frühe in zeitlicher Folge«, 1952 herausgegeben durch Hennig Brinkmann. – Die Pietät verlangt, aus der Gruppe der Übertragungen von Minneliedern Bruno Obermanns Auswahl »Deutscher Minnesang, Lieder aus dem zwölften bis vierzehnten Jahrhundert« herauszuheben, die um die letzte Jahrhundertwende in der »Universal-Bibliothek« erschienen ist und durch die folgenden Texte und Übertragungen ersetzt wird.

Unsere kleine Auswahl an Minneliedern hatte zwischen verschiedenen Ansprüchen auszugleichen. Sie sollte möglichst viel Charakteristisches bringen, zugleich nicht an Bekannterem vorbeigehn. Sie sollte einen Eindruck von dem Stilwandel vermitteln, der sich durch fünf Generationen hin vollzieht. Und sie hatte die Übertragbarkeit der Texte zu berücksichtigen. So vermißt gerade der Herausgeber manches Lied von Rang.

Die Texte wurden erneut überprüft. Die Strophen der Lieder zeigen im Unterschied vom allgemeinen Brauch, der Vers unter Vers stellt, das rhythmische Gefüge der Strophen durch Einrücken der Verse an, ein Verfahren, das hoffentlich Nachfolger findet. Damit die Lieder leichter erkannt werden, sind ihnen entgegen der Überlieferung Überschriften vorgesetzt, die sich nur zum kleinen Teil an sonst verwandte Überschriften anschließen konnten. Der Herausgeber weiß, wie fragwürdig vom Dichterischen her auf dem Felde der Lyrik Überschriften sind. Aber niemand wird hier durch Überschriften gestört werden, da kein Minnesänger in den

Fehler verfallen konnte, das Verständnis seines Textes an
die Kenntnis einer Überschrift zu binden. Auf Erläuterungen wurde verzichtet, nur wenige Anmerkungen bieten sich
als Helfer an.

Die Nachdichtungen *Kurt Erich Meurers* wollen nicht das
Ursprüngliche ersetzen, sondern begleiten. Sie wollen Lust
machen, in den altdeutschen Versgang einzudringen und an
seiner Bewegung teilzunehmen. Indem sie den Aufbau der
Strophen und seine Reimbindungen in neudeutscher Sprache
nachbilden, lassen sie aus der lyrischen Bewegung der alten
Lieder ein Sprachgefüge entstehen, das als Übertragung seinen eigenen Klang hat.

Im März 1954   *Friedrich Neumann*

Deutscher Minnesang

I. Frühe Klänge

Auf der Heide

Ez stuont ein frouwe aleine
 und warte uber heide
 und warte ir liebe,
 so gesach si valken fliegen.
»sô wol dir, valke, daz du bist!
 du fliugest swar dir liep ist:
 du erkíusest dir in dem walde
 einen boúm der dir gevalle.
álsô hân ouch ich getân:
 ich erkôs mir selbe einen man,
 den erwélton mîniu ougen.
 daz nîdent schoene frouwen.
owê, wan lânt si mir mîn liep?
 joch engérte ich ir dekeiner trûtes niet.«

Mahnung

»Sô wol dir, sumerwunne!
 daz vogelsanc ist geswunden,
 als ist der linden ir loup.
 jârlanc truobent mir ouch
 mîniu wól stênden ougen.
mîn trût, du solt dich gelouben
 anderre wîbe:
 wan, helt, die solt du mîden.
dô du mich êrst sâhe,
 dô dûhte ich dich zewâre
 sô rehte minneclîch getân:
 des máne ich dich, lieber man!«

NAMENLOSE LIEDER

Auf der Heide

Es stand eine Frau alleine
   und spähte über die Heide
   und spähte nach ihrem Liebsten.
   Einen Falken sah sie fliegen.
»Wohl dir, daß du ein Falke bist!
   Du fliegst, wohin es lieb dir ist.
   Du kiesest dir in dem Walde
   einen Baum, der dir gefalle.
Also hab auch ich getan:
   Mir erkor ich einen Mann,
   den erwählten meine Augen.
   Das neiden schöne Frauen.
O weh, was gönnen sie mir nicht mein Lieb?
   Ward ich doch auch an ihnen nicht zum Dieb.«

Mahnung

»Leb wohl, o Sommerwonne!
   Der Vogelsang ist verschollen,
   die Linde verlor ihr Laub.
Im sinkenden Jahr nun auch
   sich meine Augen trüben.
Wolltest Verzicht du üben,
   Trauter, auf andre Frauen
   und nicht nach ihnen schauen!
Als du zuerst sahest mich,
   wahrlich, da deucht ich dich
   so liebenswert und wohlgetan:
   des mahne ich dich, lieber Mann!«

DER VON KÜRENBERC

Verlangen und Abwehr

»Ich stuont mir nehtint spâte   an einer zinnen.
dô hôrte ich einen ritter   vil wol singen
in Kürenberges wîse   al ûz der menigîn:
er múoz mir diu lánt rûmen   ald ich geníetè mich sîn.«

Nu brinc mir her vil balde   mîn ros, mîn îsengewant:
wan ich muoz einer frouwen   rûmen diu lant.
diu wil mich des betwingen   daz ich ir holt sî.
si muoz der mîner minne   iemer dárbènde sîn.

Rose am Dorn

»Swenne ich stân aleine   in mînem hemede
und ich an dich gedenke   ritter edele,
so erblüet sich mîn varwe   als der rôse an dorne tuot,
und gewinnet daz herze   vil manigen trûrigen muot.«

Scheiden, Meiden

»Ez gât mir vonme herzen   daz ich geweine:
ich und mîn geselle   müezen uns scheiden.
daz machent lügenaere.   got der gebe in leit!
der uns zwei versuonde,   vil wol des waere ich gemeit.«

DER VON KÜRENBERG

Verlangen und Abwehr

»Ich stand noch nächtens späte   an einer Zinne:
da hört' ich einen Ritter   gar gut singen
in Kürenbergers Weise   hell aus der Reiterschar:
er muß mir das Land räumen,   oder seine Liebe wird wahr.«

Nun bring mir her in Eile   mein Roß, mein Eisengewand!
Um willen einer Frau muß   räumen ich dies Land.
Sie will mich dazu zwingen,   mich liebend ihr zu weihn.
Sie soll von meiner Minne   niemals getröstet sein.

Rose am Dorn

»Wenn allein ich stehe   im Hemd am Fenstergitter
und ich dein gedenke,   edeler Ritter,
erblühet meine Farbe   wie die Rose am Dorn erblüht,
und mit schmerzlicher Trauer
                          erfüllt sich mein sehnend Gemüt.«

Scheiden, Meiden

»Es kommt mir tief von Herzen,   daß ich jetzt weine.
Ich und mein Geselle   müssen uns scheiden.
Daran sind schuld die Lügner.   Gott gebe ihnen Leid!
Wer uns zwei versöhnte,   er schüfe mir Seligkeit.«

Aus der Ferne

Aller wîbe wünne   diu gêt noch megetîn.
als ich an sî gesende   den lieben boten mîn,
jo wurbe ichz gerne selbe,   waere ez ir schade niet.
ich enweiz wiez ir gevalle: mir wart nie wîp álsô liep.

Der Falke

»Ich zôch mir einen valken   mêre danne ein jâr.
dô ich in gezamete   als ich in wolte hân
und ich im sîn gevidere   mit golde wol bewant,
er huop sich ûf vil hôhe   und floug in ándèriu lant.

Sît sach ich den valken   schône fliegen.
er fuorte an sînem fuoze   sîdîne riemen,
und was im sîn gevidere   alrôt guldîn.
got sende si zesamene   die gerne gelíep wéllen sîn!«

MEINLOH VON SEVELINGEN

Gefunden

Dô ich dich loben hôrte,   dô hét ich dich gerne erkant.
    durch dîne tugende manige
                          fuor ich ie helnde, únz ich dich vant.
daz ich dich nû gesehen hân,   daz enwirret dir niet.
    er ist vil wol getiuret,   den du wilt, frouwe, haben liep.
du bist der besten eine,
                          des muoz man dir von schulden jehen.
    sô wol den dînen ougen!
    diu kunnen swen si wellen   án vil güetlîchen sehen.

Aus der Ferne

Aller Frauen Wonne   geht noch im Mädchenkleid.
So oft ich an sie sende   den Knappen mit Bescheid,
wie lieber würb' ich selber,   wenn ihr kein Nachteil blieb'!
Weiß nicht, ob sie mir gut ist: war mir noch keine je so lieb.

Der Falke

»Ich zog mir einen Falken   länger denn ein Jahr.
Als er von mir gezähmt und   mir nach Wunsche war
und ich um sein Gefieder   goldene Bänder wand,
steil stieg er in die Lüfte   und flog in anderes Land.

Fortan sah ich den Falken   herrlich schwingen:
er trug an seinem Fuße   seidene Schlingen,
es glänzte sein Gefieder   um und um von Gold.
Gott sende sie zusammen,   die sich sehnsüchtig hold.«

MEINLOH VON SÖFLINGEN

Gefunden

Da ich dich loben hörte,   hätte ich dich gern gekannt.
  Um deiner Tugend willen
                              hehlte ich mich, bis ich dich fand.
Daß ich dich nun gesehen,   in Wirrnis bringt es dich nicht.
  Hochgeehrt, wer Gnade
                       findet, Fraue, vor deinem Gesicht.
Du bist der besten eine,   das muß ich mit Recht dir gestehn.
  Gepriesen deine Augen,
    die können, wen sie wollen,   an mit so viel Güte sehn!

Unvergängliche Minne

Ich bin hólt einer frouwen: ich weiz vil wól úmbe waz.
   sît ich ír begunde dienen,   sie geviel mir ie baz und ie baz.
ie lieber und ie lieber   sô ist si zallen zîten mir,
   ie schoener und ie schoener: vil wol gevallet si mir.
si ist saélic zallen êren,   der besten tugende pfliget ir lîp.
   sturbe ich nâch ir minne
   und wurde ich danne lebende,
               sô wurbe ich áber umb daz wîp.

Weh den Merkern!

»Sô wê den merkaeren!   die habent mîn übele gedâht.
   si habent mich âne schulde   in eine grôze rede brâht.
si waenent mir in leiden,   sô si sô rûnent under in.
   nu wizzen algelîche   daz ich sîn friundinne bin,
âne nâhe bî gelegen: des hân ich weizgot niht getân.
   staechens ûz ir ougen,
   mir râtent mîne sinne   an deheinen andern man.«

DIETMAR VON EIST

Minneklagen

»Waz ist für daz trûren guot,
               daz wîp nâch lieben manne hât?
gerne daz mîn herze erkande,   wan ez sô betwungen stât.«
alsô redete ein frouwe schoene.
               »an ein ende ich des wol koeme,
                        wán diu húotè.
selten sîn vergezzen wirt   in mînem muote.«

Unvergängliche Minne

Ich bin hold einer Frauen: weiß wohl, aus welchem Grund.
  So lang ich ihr diene, gefiel sie
                        mir besser von Stunde zu Stund.
Stets lieber nur und lieber ist zu allen Zeiten sie mir,
  stets schöner nur und schöner beseligt mich ihre Zier.
Geschaffen zu allen Ehren, übt höchste Tugend sie treu.
  Stürbe ich durch ihre Minne
  und kehrte wieder ins Leben, so würbe ich um sie aufs neu.

Weh den Merkern!

»Weh den Merkern, den scheelen!
                Sie haben mein Glück mir verdacht
  und haben mich ohne Ursach' in groß Gerede gebracht.
Sie wollen ihn mir verleiden und raunen mit argem Sinn.
  So wisset alle zusammen, daß seine Liebste ich bin,
ohne bei ihm zu liegen; das hab ich, weiß Gott, nicht getan.
  Stächen sie aus ihre Augen,
  mir raten meine Sinne zu keinem anderen Mann.«

DIETMAR VON EIST

Minneklagen

»Was ist heilsam für das Härmen einer Frau um einen Mann?
Gerne das mein Herz erführe,
                    das die Sehnsucht schlägt in Bann.«
So sprach klagend eine Schöne.
                »Immer Wächterblicke höhnen
                      meine Leiden.
Nicht vergessen kann ich ihn und muß ihn meiden.«

»Genuoge jehent daz grôziu staete
                             sî der beste frouwen trôst.«
»des enmag ich niht gelouben,   sît mîn herze ist unerlôst.«
alsô redeten zwei geliebe,   dô si von ein ander schieden:
                                   »ôwê minne!
dér dîn âne möhte sîn,   daz waeren sinne.«

»Sô al diu werelt ruowe hât,   sô mag ich eine entslâfen niet.
daz kumt von einer frouwen schoene,
                              der ich gerne waere liep.
an der al mîn fröude stât.
                        wie sol des iemer werden rât?
                           joch waéne ich sterben!
wes lie si got mir armen man   ze kâle werden?«

Auf der Linde

Uf der linden óbenè   dâ sanc ein kleinez vogellîn.
vor dem walde wart ez lût:
                        dô huop sich aber daz herze mîn
an eine stat dâ ez ê dâ was.   ich sach die rôsebluomen stân:
die manent mich der gedanke vil
                        díe ich hin zeiner frouwen hân.

Tausend Jahre

»Ez dunket mich wol tûsent jâr   daz ich an liebes arme lac.
sunder âne mîne schulde   fremedet er mich manigen tac.
sît ich bluomen niht ensach   noch hôrte kleiner vogele sanc,
sît was mir mîn fröude kurz   und ouch der jâmer alzelanc.«

»Haben nicht die besten Frauen   Treue sich als Glück erlost?«
»Das vermag ich nicht zu glauben,
                              seit mein Herz ist ohne Trost.«
Also sprachen zwei Geliebte,   da sie voneinander schieden:
                              »Weh dir, Liebe!
Nur wer wüßte, dich zu missen,   weise bliebe!«

»Wenn alle Welt der Ruhe pflegt,
                              so lieg ich wach die lange Nacht.
Das kommt von einem schönen Weibe,
                              das mich zehrend elend macht.
All meine Freude steht bei ihr.
                              Wird je mir Rat? Was soll ich hier
                              auf der Erden?
Was ließ sie Gott mir armen Mann   zur Marter werden?«

Auf der Linde

Auf dem Lindenwipfel oben   ein kleiner Vogel saß und sang.
Vor dem Walde ward er laut,
                              daß wieder sich das Herz mir schwang
an eine Statt, wo ich einst geweilt.
                              Ich sah die blühenden Rosen stehn:
Sie rufen viele Gedanken wach,   die hin zu einer Frauen gehn.

Tausend Jahre

»Es dünkt mich wohl an tausend Jahr,
                              daß ich im Arm des Liebsten lag.
Ohne alle meine Schulden   bleibt er fern mir Tag um Tag.
Seit ich Blumen nicht mehr sah,   nicht mehr hörte Vogelsang,
ward mir meine Freude kurz,
                              ward mir der Jammer überlang.«

Abschied am Morgen

»Slâfest du, friedel ziere?
  man wecket uns leider schiere.
ein vogellîn sô wol getân,
  daz ist der linden   an daz zwî gegân.«

»Ich was vil sanfte entslâfen,
  nu rüefest du kint ›Wâfen‹.
liep âne leit mac niht gesîn.
  swaz du gebiutest,   daz leiste ich, friundîn mîn.«

Diu frouwe begunde weinen:
  »Du rîtest und lâst mich eine.
wenne wilt du wider her zuo mir?
  ôwê, du füerest   mîn fröude sament dir!«

Abschied am Morgen

»Es dämmert an der Halde,
 man weckt uns, Liebster, balde.
Ein Vöglein aus dem Neste schwang
 sich auf der Linde   Zweig empor und sang.«

»Noch lag ich sanft im Schlummer,
 da weckte mich dein Kummer.
Lieb ohne Leid kann ja nicht sein.
 Was du gebietest,   tu ich, Liebste mein.«

Sie ließ die Tränen rinnen:
 »Du reitest doch von hinnen.
Wann kommst du wieder her zu mir?
 Ach, meine Freude   nimmst du fort mit dir.«

II. Neuer Sang

HENRIK VAN VELDEKE

Rechte Minne

In den tîden van den jâre
 dat dî dage werden lanc
énde dat wéder weder clâre,
 sô ernouwen openbâre
mérelâre heren sanc,
dî uns brengen lîve mâre.
 gode mach hers weten danc
  dê hévet rehte minne
  sunder rouwe ende âne wanc.

Ich wil vrô sîn dore here êre
 dî mich hevet dat gedân
dat ich van den rouwen kêre
 dê mich wîlen irde sêre.
dat is mich nû sô ergân:
ich bin rîke ende grôte hêre,
 sint ich mûste al umbevân
  dî mích gaf rehte minne
  sunder wîc ende âne wân.

Dî mich drumbe willen nîden
 dat mich lîves ît geschît,
dat mach ich vele sáchte lîden,
 mîne blîtscap nît vermîden
ende enwille drumbe nît
nâ gevolgen den unblîden,
 sint dat sî mich gerne sît
  dî mích dore rehte minne
  lange pîne dolen lît.

HEINRICH VON VELDEKE

Rechte Minne

In des Jahres frühen Zeiten,
  wenn die Tage werden lang,
leuchtend sich die Himmel weiten,
  da erneuen an den Leiten
  Merlen ihren Lobgesang,
die uns liebe Lust bereiten.
    Dann mag Gott auch wissen Dank,
    wer trägt rechte Minne
    ohne Reu und ohne Wank.

Froh um ihrer Ehre willen,
  die mir hat so wohl getan,
daß sich meine Schmerzen stillen,
  darf ich ohne Gram und Grillen
  mich der hehren Herrin nahn.
Reich will sich mein Glück erfüllen,
  seit sie meine Augen sahn,
    die mich rechte Minne
    lehrte ohne Wank und Wahn.

Mag den Neidern nicht behagen,
  daß mir Holdes nun geschieht,
o das will ich schon ertragen,
  mich der Freude nicht entschlagen,
  die durch meine Seele zieht,
und dem trüben Mut entsagen,
  da ja sie mich gerne sieht,
    um deren rechte Minne
    ich mich lange herb gemüht.

FRIDERICH VON HUSEN

Minnenot

Wâfenâ, wie hat mich Minne gelâzen!
  díu mich betwánc daz ich lie mîn gemüete
án solhen wân der mich wol mac verwâzen,
  ez ensî daz ich müeze geniezen ir güete,
vón der ich bín   alsô dícke âne sin.
  mich dûhte ein gewin,   und wolte diu guote
  wizzen die nôt diu mir wont in dem muote.

Wâfen, waz hábe ich getân sô zunêren
  daz mir diu guote niht gruozes engunde?
sús kan si mír wol daz herze verkêren.
  deich in der werlt bezzer wîp iender funde,
séht dêst mîn wân.   dâ für sô wil ichz hân,
  und dienen nochdan   mit triuwen der guoten,
  diu mich dâ bliuwet vil sêre âne ruoten.

Wáz mac daz sîn daz diu werlt heizet minne,
  únde ez mir túot alsô wê zaller stunde
únde ez mir nímt alsô vil mîner sinne?
  ichn wânde niht daz ez iemen erfunde.
getorste ich es jên   daz ichz hête gesên
  des mír ist geschên   alsô víl herzesêre,
  sô wolte ich gelouben dar an iemer mêre.

Minne, got müeze mich an dir gerechen!
  wie vil dem herzen der fröuden du wendest!
möhte ich dir dîn krumbez ouge ûz gestechen,
  des het ich reht, wan du vil lützel endest
an mir solhe nôt,   sô dîn lîp mir gebôt.
  und waerest du tôt,   sô dûhte ich mich rîche.
  sús muoz ich leben betwungenlîche.

FRIEDRICH VON HAUSEN

Minnenot

O Not, wie mich Minne zurückließ zur Stunde,
   die mich bezwang, daß ich lieh mein Gemüte
an solchen Wahn, der mich richtet zugrunde,
   wird mir nicht einst noch zuteil ihre Güte,
durch die ich bin   so ganz ohne Sinn!
   Mir wäre Gewinn,   wenn nur wollte die Gute
   wissen die Drangsal in meinem Mute.

O Not, was tat ich ihr denn nicht zu Ehren,
   daß ihren Gruß mir weigert die Eine?
Weiß sie doch völlig mein Herz zu verkehren,
   daß in der Welt mir gefiele sonst keine.
Seht meinen Wahn!   So gedacht, so getan!
   Will dienen fortan   mit Treue der Guten,
   die da mich heftig bläut ohne Ruten.

Was mag es sein, was die Welt nennet Minne,
   aber mir allerstunden tut wehe
und mich beraubet so oft meiner Sinne?
   Niemand erfand es, nicht heute, nicht ehe.
Dürft' ich gestehn,   ich hätte gesehn,
   wovon mir geschehn   soviel herzwundes Leiden,
   so wollt' ich dran glauben und mich bescheiden.

Möge mich, Minne, Gott an dir rächen,
   weil du das Herz mir von Freuden abwendest!
Könnt' ich dir dein krummes Auge ausstechen,
   so täte ich recht, da du nimmer doch endest
an mir solche Not,   die dein Sein mir gebot.
   Wärest du tot,   mir glückte mein Leben.
   So leid ich, in deine Gewalt gegeben.

Heimweh

Gelebte ich noch die lieben zît
   daz ich daz lant solt aber schouwen,
dar inne al mîn fröude lît
   nu lange an einer schoenen frouwen,
sô gesaehe mînen lîp
   niemer weder man noch wîp
   getrûren noch gewinnen rouwen.
mich dûhte nu vil manigez guot,
   dâ von ê swaere was mîn muot.

Ich wânde ir ê vil verre sîn
   dâ ich nu vil nâhe wâre.
alrêrste hât das herze mîn
   von der frömde grôze swâre.
ez tuot wol sîne triuwe schîn.
   waere ich iender umb den Rîn,
   sô friesche ich lîhte ein ander mâre,
des ich doch leider nie vernam
   sît daz ich über die berge quam.

Wahl des Herzens

Mîn herze und mîn lîp diu wellent scheiden
   diu mit ein ander varnt nu manige zît.
der lîp wil gerne vehten an die heiden:
   sô hât iedoch daz herze erwelt ein wîp
vor al der werlt, daz müet mich iemer sît,
   daz si ein ander niht envolgent beide.
   mir habent diu ougen vil getân ze leide.
   got eine müeze scheiden noch den strît.

Sît ich dich, herze, niht wol mac erwenden,
   du enwéllest mich vil trûreclîchen lân,

Heimweh

Erlebt' ich noch die liebe Zeit,
    die Lande wiederum zu schauen,
wo mich erfüllt' mit Seligkeit
    die schönste aller schönen Frauen,
so sähe weder Weib noch Mann
    jemals meinem Antlitz an,
    daß Sorgen mir im Herzen brauen.
Mich dünkte dann gar manches gut,
    das sonst mir machte schweren Mut.

Ich wähnte oft ihr fern zu sein,
    da ich ihr doch so nah gestanden.
Jetzt erst fühl ich mit schwerer Pein
    die Ferne in den fremden Landen.
O Gram der Treue ungemein!
    Wär' ich dort unten an dem Rhein,
    wo gute Kunden zu mir fanden,
davon ich leider nichts vernahm,
    seitdem ich über die Alpen kam!

Wahl des Herzens

Mein Herz will sich von meinem Leibe scheiden,
    die miteinander fuhren manche Zeit.
Der Leib will freudig fechten mit den Heiden,
    doch hat das Herz sich einer Frau geweiht
vor aller Welt. Ich bin voll Traurigkeit,
    daß nun nicht mehr Gemeinschaft zwischen beiden.
    Mir gaben meine Augen viel zu leiden.
    Nur Gott allein kann schlichten diesen Streit.

Vermag ich dich davon nicht abzuwenden,
    daß du, mein Herz, mich bringst in schlimmen Zwist,

sô bite ich got daz er dich ruoche senden
 an eine stat dâ man dich wol empfâ.
ôwê wie sol ez armen dir ergân!
 wie torstest eine an solhe nôt ernenden?
wer sol dir dîne sorge helfen enden
mit solhen triuwen als ich hân getân?

Ich wânde ledic sîn von solher swaere
 dô ich daz kriuze in gotes êre nam.
ez waere ouch reht daz im ez alsô waere
 wan daz mîn staetekeit mir sîn verban.
ich solte sîn ze rehte ein lébendic man,
 ob ez den tumben willen sîn verbaere.
 nun sihe ich wol daz im ist gar unmaere
 wie mír ez an dem ende süle ergân.

KAISER HEINRICH

Minne und Krone

Ich grüeze mit gesange die süezen
 die ich vermîden niht wil noch enmac.
deich si réhte von munde mohte grüezen,
 ach leides, des ist manic tac.
swer disiu liet nu singe vor ir
 der ich gár unsenfticlîchen enbir,
es sî wîp oder man, der habe si gegrüezet von mir.

Mir sint diu rîche und diu lant undertân
 swenne ich bî der minneclîchen bin.
unde swénne ab ich gescheide von dan,
 sost mir ál mîn gewalt und mîn rîchtuom dâ hin.
senden kúmber den zele ich mir danne zu habe;

so bitt ich Gott, er möge dich entsenden
  an jenen Ort, wo du willkommen bist.
O weh des Leides, das kein Mensch ermißt!
  Wie darf dich, armes Herz, der Wahn verblenden,
  du fändest Hilfe, deine Not zu enden,
  die Treue, die von mir gehalten ist?

Ich glaubte frei zu sein von solcher Schwere,
  nähm' ich das Kreuz zu Gottes Ehre an.
Es wäre recht auch, daß ihm also wäre,
  doch hält die Treue mich in Herzensbann.
Ich wäre wohl ein lebensfroher Mann,
  geläng' es mir, daß ich mein Herz bekehre,
  durch dessen Torheit ich mich ganz verzehre
  und dessen Wahl ich nicht verwerfen kann.

KAISER HEINRICH

Minne und Krone

Ich grüße im Gesang die Süße,
  die ich nicht missen kann noch mag.
Seit ich mit eigenem Mund sie nicht grüße,
  ist leider vergangen mancher Tag.
Wer dieses Lied nun singt vor ihr,
  die ich so schmerzlich entbehre hier,
  es sei Frau oder Mann, der sing' es als Gruß von mir.

Länder und Reiche sind mir untertan,
  wenn ich bei ihr, der Lieblichen, bin,
doch muß ich scheiden von ihr sodann,
  ist meine Macht und mein Reichtum dahin,
sehrende Sehnsucht all, was ich hab!

sus kan ich an fröuden ûf stîgen joch abe
unde brínge den wehsel, waén, durch ir liebe ze grabe.

Sît deich si sô herzeclîchen minne
    unde sî âne wenken alzît trage
beide in dem herzen und ouch in dem sinne,
    underwîlent mit vil maniger klage,
waz gît mir dar umbe diu liebe ze lône?
    dâ biutet si mir ez sô rehte schône.
    ê ich mích ir verzige, ich verzige mich ê der krône.

Er sündet swer mir des niht geloubet,
    ich möhte geleben manigen lieben tac,
ob joch níemer krône kaeme ûf mîn houbet:
    des ich mích âne si niht vermezzen enmac.
verlüre ich si, waz hette ich danne?
    dâ töhte ich ze fröuden noch wîbe noch manne
    unde waére mîn bester trôst beidiu ze âchte und ze
                                              banne.

So steig ich an Freuden bald auf und bald ab
und nehme den Wechsel aus Liebe zu ihr mit zum
                                        Grab.

Da ich aus innerster Seele sie minne
    und sie getreulich zu aller Zeit
trage in meinem beseligten Sinne,
    ob auch zuweilen mit Traurigkeit,
was gibt mir dafür die Liebe zum Lohne?
    Daß hold sie in meinem Herzen wohne!
    Eh' ihr ich entsagte, entsagte ich eher der Krone.

Er versündigt sich, wer es nicht glaubte,
    daß ich erlebte fröhlichen Tag
auch ohne Krone auf meinem Haupte:
    wenn nur sie mir nicht fehlen mag!
Verlör' ich die Liebe, was bliebe mir dann?
    Nicht taugt' ich zur Freude für Frau und für Mann.
    Und läge mein bester Trost mir in Acht und in Bann.

III. Erfüllte Zeit

HARTMAN VON OUWE

Absage und Rückkehr

Ich sprach, ich wolte ir iemer leben:
   daz liez ich wîte maere komen.
mîn herze hete ich ir gegeben:
   daz hân ich nû von ir genomen.
swer tumben antheiz trage,
   der lâze in ê der tage,
   ê in der strît
beroube sîner jâre gar.
alsô hân ich getân:
   ir sî der kriec verlân.
   für dise zît
sô wil ich dienen anderswar.

Sît ich ir lônes muoz enbern,
   der ích manic jâr gedienet hân,
so gerúoche mich got eines wern,
   daz ez der schoenen müeze ergân
nâch êren unde wol.
   sît ich mich rechen sol,
   dêswâr daz sî,
   und doch niht anders wan alsô
daz ich ir heiles gan
   baz danne ein ander man,
   und bin dâ bî
ir leides gram, ir liebes frô.

Mir sint diu jâr vil unverlorn
   diu ich an sî gewendet hân:
hât mich ir minne lôn verborn,
   doch troestet mich ein lieber wân.

HARTMANN VON AUE

Absage und Rückkehr

Ich sprach, ich wollt' ihr immer leben,
    weit ließ ich davon Kunde kommen.
Ich hatte ihr mein Herz gegeben,
    das hab ich jetzt von ihr genommen.
Wer Törichtes versprach,
    streb' ihm nicht lange nach,
    daß überm Streit
nicht altre Jahr um Jahr sein Herz.
Alsdann so räum ich ihr
    getrost das Kampfrevier.
    Für diese Zeit
will ich nun dienen anderwärts.

Weil ihren Lohn ich muß entbehren,
    der ich gedienet manches Jahr,
so wolle Gott mir eins gewähren,
    der Schönen mög' es immerdar
geziemend gehen wohl.
    Da ich mich rächen soll,
    fürwahr, es sei,
und doch nicht anders denn also:
Ich wünsch ihr Gutes an,
    mehr als ein andrer Mann,
    und bin dabei
gram ihres Grams, froh mit ihr froh.

Mir sind die Jahre unverloren,
    die ich an ihren Dienst vertan.
Versagt sie auch den Lohn mir Toren,
    so tröstet mich ein lieber Wahn.

ich engerte nihtes mê
   wan müese ich ír als ê
   ze frouwen jehen.
    manic mán der nimt sîn ende alsô
dem niemer liep geschiht,
   wan daz er sich versiht,
   deiz süle geschehen,
   und tuot in der gedinge frô.

Der ich dâ her gedienet hân,
   durch die wil ich mit fröuden sîn,
doch ez mich wênic hât vervân.
   ich weiz wol daz diu frouwe mîn
niwán nâch êren lebet.
   swer von der sîner strebet,
   der habe im daz.
   in betrâget sîner jâre vil.
swer álsô minnen kan,
   der ist ein valscher man.
   mîn muot stât baz:
   von ir ich niemer komen wil.

Überhöhte Minne

Maniger grüezet mich alsô
   (der gruoz tuot mich ze mâze frô):
»Hartman, gên wir schouwen
   ritterlîche frouwen!«
mac ér mich mit gemache lân
   und île er zuo den frouwen gân!
   bî frouwen triuwe ich niht vervân,
   wan daz ich müede vor in stân.

In mîner tôrheit mir geschach
   daz ich zuo zeiner frouwen sprach:

Nichts weiter wünsch ich mir,
  als daß wie eh' ich ihr
  in Pflicht mich gebe.
  Gar mancher Mann harrt aus also,
ob Liebes auch ihn flieht,
  daß dennoch es geschieht
  und er's erlebe.
  Und solche Hoffnung stimmt ihn froh.

Der ich verschrieben war bisher,
  durch sie will ich in Freuden sein,
hilft es mir minder oder mehr.
  Wohl weiß ich, daß die Herrin mein
nur nach der Ehre lebt.
  Wer von der seinen strebt,
  bedenke sich,
  daß ihn nicht seine Jahre reun.
Wer also minnen kann,
  der ist ein falscher Mann,
  doch besser ich:
  in ihrem Dienst will ich mich freun.

Überhöhte Minne

Mancher wohl begrüßt mich so
  (mäßig macht der Gruß mich froh):
  »Hartmann, gehn wir schauen
  ritterliche Frauen!«
Lass' er mich nur in Frieden stehn
  und mag er zu den Stolzen gehn!
  Gewinn glaub ich dort nicht zu sehn,
  Verdruß nur bieten sie als Lehn.

Als ich in meiner Torheit sprach
  zu einer Frau im Burggemach:

»frouw, ích hân mîne sinne
   gewant an iuwer minne.«
dô wart ich twerhes an gesehen.
   des wil ich, des sî iu bejehen,
   mir wîp in solher mâze spehen
   diu mir des niht enlânt geschehen.

Ze frouwen habe ich einen sin:
   als sî mir sint, als bin ich in.
wand ich mac baz vertrîben
   die zît mit armen wîben.
swar ich kum, dâ ist ir vil:
   dâ vinde ich die diu mich dâ wil.
   diu ist ouch mînes herzen spil.
   waz touc mir ein ze hôhez zil?

REINMAR (VON HAGENOUWE)

Die Klage der Witwe

»Si jehent, der sumer der sî hie,
   diu wunne diu sî komen
   únd daz ich mich wol gehabe als ê.
nu râtent unde sprechent wie.
   der tôt hât mir benomen
   daz ich niemer überwinde mê.
waz bedarf ich wunneclîcher zît,
   sît aller fröuden herre Liutpolt in der erde lît,
   den ich nie tac getrûren sach?
ez hât diu werlt an ime verlorn
   daz ir an manne nie
      sô jaemerlîcher schade geschach.

»Ich wandte meine Sinne,
  Herrin, auf Eure Minne«,
ward schief ich von ihr angesehn.
  Drum soll mein Blick, muß ich gestehn,
  nach Frauen solcher Art nur gehn,
  wo das mir nimmer kann geschehn.

Zu Edelfraun heg ich den Sinn,
  daß, wie sie mir, ich ihnen bin.
Die Zeit mir zu vertreiben,
  mag ich bei Mägden bleiben.
Wohin ich komm, gibt's ihrer viel,
  da find ich, die mich haben will,
  die ist mein trautes Herzenspiel.
  Was taugt mir ein zu hohes Ziel?

REINMAR (VON HAGENAU)

Die Klage der Witwe

»Nun sei es Sommer, sagen sie,
  die Wonne sei gekommen,
  daß ich erlabe mich wie eh' daran.
So ratet mir und saget: wie?
  Der Tod hat mir genommen,
  was ich nie und nie verwinden kann.
Was bedarf der Wonnezeit ich noch,
  seit Liutpold, aller Freuden Herr, liegt in der Erde doch,
  den keinen Tag ich unfroh sah.
So viel verlor die Welt an ihm,
  daß ihr an keinem Mann
    so schmerzender Verlust geschah.

Mir armen wîbe was ze wol,
   dô ich gedâhte an in
   wie mîn heil an sîme lîbe lac.
daz ich des nu niht haben sol,
   des gât mit jâmer hin
   swaz ich iemer mê geleben mac.
mîner wunnen spiegel derst verlorn,
   den ich mir hete ze sumerlîcher ougenweide erkorn,
   des muoz ich leider aenic sîn.
dô man mir seite er waere tôt,
   zehant wiel mir daz bluot
     von herzen ûf die sêle mîn.

Die fröude mir verboten hât
   mîns lieben herren tôt
   álsô deich ir mêr enberen sol.
sît des nu niht mac werden rât,
   ich enringe mit der nôt
   daz mîn klagendez herze ist jâmers vol.
diu in iemer weinet daz bin ich,
   wan er vil saelic man jâ trôste er wol ze lebenne mich,
   der ist nu hin. was töchte ich hie?
wis ime genaedic, herre got:
   wan tugenthafter gast
     kam in dîn ingesinde nie.«

Der Minne bleiche Farbe

Ich weiz den wec nu lange wol
   der von der liebe gât unz an daz leit.
der ander der mich wîsen sol
   ûz leide in liep, derst mir noch unbereit.
daz mir von gedanken ist   álsô unmâzen wê,
   des überhoere ich vil   und tuon als ich des niht verstê.

Mir armen Weibe war zu wohl,
    wenn ich gedachte sein,
    wie mein Heil an seinem Dasein lag.
Daß ich das nicht mehr haben soll,
    schafft Jammer mir und Pein,
    was auch immer ich erleben mag.
Meiner Wonne Spiegel ist zerschellt,
    den ich zu sommerlicher Augenweide mir bestellt.
    Weh mir, daß ich nun bin allein!
Da man mir sagte, er sei tot,
    drang mir sogleich das Blut
      vom Herzen auf die Seele ein.

Die Freude mir verboten hat
    des lieben Herren Tod.
    Missen muß ich sie nun allezeit.
Soll nimmermehr mir werden Rat,
    daß ich breche aus der Not,
    die mein Herz erfüllt mit Traurigkeit.
Die ihn stets beweinet, das bin ich,
    denn der so selige Mann ermutigte zum Leben mich.
    Er ist nun hin! Was soll ich hie?
Sei du ihm gnädig, Herr und Gott:
    ein tugendhaft'rer Gast
      kam in dein Ingesinde nie.«

Der Minne bleiche Farbe

Ich weiß den Weg nun lange wohl,
    der von der Freude geht bis an das Leid.
Der andre, der mich weisen soll
    aus Leid in Lust, ist mir noch unbereit.
Weil das mir zu denken   übermaßen weh,
    überhören will ich's drum
                und tun, als ob ich's nicht versteh.

gît minne niht wan ungemach,
  sô müeze minne unsaelic sîn:
  wan ích si noch íe in bleicher varwe sach.

2 War umbe füeget diu mir leit,
     von der ich hôhe solte tragen den muot?
   jo enwirbe ich niht mit kündekeit
     noch durch versuochen, als vil maniger tuot.
   ich enwart nie rehte frô,   wan sô ich si gesach:
     sô gie von herzen gar   swaz ie mîn munt wider si gesprach.
   sol nu diu triuwe sîn verlorn,
     so endarf eht nieman wunder nemen,
     hân ich underwîlen einen zorn.

1 Ein wîser man sol niht ze vil
     versuochen noch gezîhen, dêst mîn rât,
   von der er sich niht scheiden wil
     und er der wâren schulde ouch keine hât.
   swér wil al der werlte lüge   an ein ende komen,
     der hât im âne nôt   ein herzelîchez leit genomen.
   man sol boeser rede gedagen,
     und frâge ouch nieman lange des
     dáz er doch ungerne hoere sagen.

3 Si jehent daz staete sî ein tugent
     der andern frouwe. sô wól im der sie habe!
   sie hât mir fröude in mîner jugent
     mit ir wol schoener zuht gebrochen abe,
   dáz ich unze an mînen tôt   si niemer mê gelobe.
     ich síhe wól, swer nu   vert sêre wüetend alse er tobe,
   daz den diu wîp nu minnent ê
     dann einen man der des niht kan.
     ích ensprach in nie sô nâhe mê.

5 Des einen und dekeines mê
     wil ich ein meister sîn, die wîle ich lebe:

Wenn nur von Liebe Leid geschah,
  mag Minne wohl unselig sein,
    da ich sie stets in bleicher Farbe sah.

Warum denn fügt sie zu mir Leid,
  von der ich tragen sollte hohen Mut?
Ich werbe nicht mit Findigkeit
  noch durch Erprobung, wie manch einer tut.
Bin ich niemals doch recht froh,   als nur, wenn ich sie seh.
Aus dem Herzen kam mir ganz, was mein Mund ihr sagte je.
Hat Treue sich verschwendet dann,
  so darf es niemand wunder nehmen,
    kommt ein Zorn mich unterweilen an.

Ein weiser Mann soll nicht zuviel
  versuchen und verklagen, ist mein Rat,
sie, die er nicht verlassen will,
  wozu er auch nicht rechte Ursach' hat.
Wer da allem Lug der Welt   will an ein Ende kommen,
  hat auf sich ohne Not   ein schweres Herzeleid genommen.
Man lass' die Lästerzungen schlagen
  und frage niemand gar nach dem,
    was er ungern hört die Leute sagen.

Treusein sei höchste Tugendzier,
  sagt man: so wohl ihm denn, der sie erfuhr.
Sie hat der Jugend Freude mir
  bei ihrer schönen Zucht gebrochen nur,
daß ich bis an meinen Tod   nimmermehr sie lobe.
  Ich seh, daß besser fährt,   welcher heischt, als ob er tobe.
Denn solche minnen eher sie
  als einen Mann, der das nicht kann.
    Ich trat ihnen also nahe nie.

Des einen, keines andern mehr
  will ich ein Meister sein, solang ich lebe;

daz lop wil ich daz mir bestê
   und mir die kunst diu werlt gemeine gebe,
daz niht mannes sîniu leit   sô schône kan getragen.
   begât ein wîp an mir
                     deich tac noch naht niht kan gedagen,
nu hân eht ich sô senften muot,
   daz ich ir haz ze fröuden nim.
   owê, wie rehte unsanfte ez mir doch tuot!

Ez tuot ein leit nâch liebe wê:
   sô tuot ouch lîhte ein liep nâch leide wol.
swer welle daz er frô bestê,
   daz eine er durch daz ander lîden sol
mit bescheidenlîcher klage   und gár âne arge site.
   zer werlte ist niht sô guot   deich ie gesach sô guot gebite.
swer die gedulteclîchen hât,
   der kam des ie mit fröuden hin.
   alsô ding ích daz mîn noch werde rât.

HEINRICH VON MORUNGEN

Selige Tage

In sô hôhe swebender wunne
   sô gestuont mîn herze an fröuden nie.
ích var alse ich fliegen kunne
   mit gedanken iemer umbe sie,
sît daz mich ir trôst enpfie,
   der mir durch die sêle mîn
   mitten in daz herze gie.

Swaz ich wunneclîches schouwe,
   dáz spil gegen der wunne die ich hân.

nach solchem Preis trag ich Begehr,
  daß zu die Welt die eine Kunst mir gebe:
nie noch hat ein Mann sein Leid   also schön getragen.
  Nimmt mir ein Weib die Ruh
                            in den Nächten, an den Tagen,
bezeig ich dennoch sanften Mut,
  daß ihre Ungunst mich nicht reut.
  O wehe, wie es doch mir unsanft tut!

Es tut ein Leid nach Freude weh,
  so tut auch Freude leicht nach Leide wohl.
Wer wolle, daß er froh besteh',
  eins durch das andre er erleiden soll,
ruhig mit beherrschter Klage   ohne schlimm Gebaren.
  Nichts Besseres in der Welt
                            als den Gleichmut stets bewahren.
Wer Geduld im Leben hat,
  kam noch stets mit Freuden hin.
  So hoff ich, daß auch mir noch werde Rat.

HEINRICH VON MORUNGEN

Selige Tage

In so hohen Seligkeiten
  wogte freudig mir die Brust noch nie.
Kreisend wie auf Flügelspreiten
  schweb ich in Gedanken stets um sie,
seit sie mir den Trost verlieh,
  der mir in die Seele ging
  und mein Herz zwang auf die Knie.

Alle Wonne rings im Kreise
  spiegle wider meine Fröhlichkeit.

luft und erde, walt und ouwe,
   suln die zît der fröude mîn enpfân.
mir ist komen ein hügender wân
   unde ein wunneclîcher trôst
   dés mîn muot sol hôhe stân.

Wol dem wunneclîchen mêre,
   daz sô suoze durch mîn ôre erklanc,
und der sanfte tuonder swêre,
   diu mit fröuden in mîn herze sanc,
dâ von mir ein wunne entspranc
   diu vor liebe alsam ein tou
   mír ûz von den ougen dranc.

Sêlic sî diu süeze stunde,
   sêlic sî diu zît, der werde tac,
dô daz wort gie von ir munde,
   daz dem herzen mîn sô nâhen lac,
daz mîn lîp von fröude erschrac,
   unde enweiz vor wunne joch
   waz ich von ir sprechen mac.

Minnezauber

Vón den elben wirt entsên vil manic man.
   sô bin ich von grôzer liebe entsên
von der besten die ie man ze friunt gewan.
   wil si aber mich darumbe vên,
mír zunstaten stên,   mac sied an rechen sich,
   tuo des ich sie bite: sie fröut sô sêre mich,
   daz mîn lîp vor wunne muoz zergên.

Sie gebiutet únde ist in dem herzen mîn
   frouwe und hêrer danne ich selbe sî.
hei wan müeste ich ir alsô gewaltic sîn
   daz si mir mit triuwen wêre bî

Stimmet ein in meine Weise,
   Luft und Erde, Wald und Feldgebreit,
teilet meine gute Zeit!
   Hell in einem Hoffnungswahn
   schwelgt mein Herz, zum Glück bereit.

Preis dem Wort, dem wonnereichen,
   das so süß mir in den Ohren sang,
Preis der Leidlust ohnegleichen,
   die mein Blut bewegt' voll Überschwang!
Freude mir daraus entsprang,
   die als frischer Liebestau
   hell aus meinen Augen drang.

Segen sei der süßen Stunde,
   Segen sei dem lichten Frühlingstag,
wo mir klang von ihrem Munde,
   was ich nimmermehr vergessen mag,
daß vor lauter Jubel zag
   meine Zunge kaum noch weiß,
   was sie ihr zum Lobe sag.

Minnezauber

Von den Elben wird bezaubert mancher Mann,
   wie durch Minnezauber mir geschehn
von der Besten, die ein Ritter lieb gewann.
   Will sie drum mit mir in Fehde stehn,
mich in Nöten sehn   und kann gar rächen sich,
tu sie, was ich bitte: so erfreut sie mich,
   daß ich muß vor Wonne ganz zergehn.

Herrin meines Herzens ist nur sie allein,
   mächtiger, als wenn ich selbst es sei:
hei, könnt' ihrer ich so übermächtig sein,
   daß sie wohne mir getreulich bei

ganzer tage drî   und eteslîche naht!
    sô verlüre ich niht den lîp und al die maht.
    nú ist si leíder vor mir alze frî.

Mich enzündet ir vil liehter ougen schîn
    same daz fiur den dürren zunder tuot,
und ir fremden krenket mir daz herze mîn
    same daz wazzer die vil heize gluot:
unde ir hôher muot,   ir schône, ir werdecheit,
    und daz wunder daz man von ir tugenden seit,
    deist mir übel und ouch lîhte guot.

Swenne ir liehten ougen sô verkêren sich
    daz sie mir aldurch mîn herze sên,
swér da enzwíschen danne stêt und irret mich,
    dém müeze al sîn wunne gar zergên!
wan ich danne stên   und warte der frouwen mîn
    rehte alsô des tages diu kleinen vogellîn:
    wenne sol mir iemer liep geschên?

Nein, ja!

Froúwe, wil du mich genern,
    sô sích mich ein vil lützel an.
ich enmác mich langer niht erwern,
    den lîp muoz ich verloren hân.
ich bin siech, mîn herze ist wunt.
    frouwe, daz hânt mir getân
    mîn ougen und dîn rôter munt.

Frouwe, mîne swêre sich,
    ê ích verliese mînen lîp.
ein wort du sprêche wider mich:
    verkêre daz, du sêlic wîp!
sprichest iemer neinâ nein

ganzer Tage drei,   nicht minder in der Nacht!
  Niemals käm' ich da um Leben und um Macht.
  Leider ist sie meiner allzu frei.

Mich entzündet ihrer lichten Augen Schein,
  wie das Feuer dürrem Zunder tut,
aber ihre Fremdheit dämpft zu meiner Pein
  mir das Herz wie Wasser heiße Glut,
und ihr hoher Mut   samt Schönheit, Würdigkeit
  und was noch darum sich sonst von Tugend reiht,
  tut mir weh und doch vielleicht auch gut.

Kehren einmal ihre lichten Augen sich,
  daß sie mitten durch das Herz mir sehn:
wer mir dann dazwischen tritt und hindert mich,
  dem mag alle Lust daran zergehn.
Ich muß vor ihr stehn,   des Glücks gewärtig sein
  wie des Tags die Vogelschar waldaus, waldein.
  Wann wird einst so Liebes mir geschehn?

Nein, ja!

Herrin, willst du hold mir sein,
  so sieh mich nur ein wenig an,
sonst erlieg ich meiner Pein,
  daß ich nicht länger leben kann.
Ich bin siech, mein Herz ist wund.
  Frau, das haben mir getan
  meine Augen und dein Mund.

Herrin, sieh, was mich beschwert,
  bevor ich ganz verloren bin.
Weh des Worts, das mich versehrt!
  Verwandle gnädig seinen Sinn!
Immer sprichst du nein, nein, nein,

neinâ neinâ neinâ nein,
daz brichet mir mîn herze enzwein.
  maht doch etswan sprechen jâ,
  jâ jâ jâ jâ jâ jâ?
  daz lît mir an dem herzen nâ.

Auf mein Grab

Sach íeman die frouwen
die man mac schoúwen
  in dem venster stân?
diu víl wolgetâne
díu tuot mich âne
  sorgen die ich hân.
si liuhtet sam der sunne tuot
  gegen dem liehten morgen.
  ê wás si verborgen,
dô múoten mich sorgen:
  díe wil ich nu lân.

Ist áb ieman hinne
dér sîne sinne
  her behalten habe?
der gê nâch der schônen,
díu mit ir krônen
  gie von hinnen abe,
dáz si mir ze trôste kome,
  ê daz ich verscheide:
diu liebe und diu leide
wéllen mich beide
  fürdern hin ze grabe.

Man sól schrîben kleine
réhte ûf dem steine
  der mîn grap bevât,

nein, ach nein, ach nein, ach nein,
das will mir noch das Herz entzwein.
Sprich, o sprich noch einmal ja,
ja, ja, ja, ja, ja, ja, ja!
Nur das liegt meinem Herzen nah.

Auf mein Grab

Sah jemand die Fraue,
wie ich sie schaue,
   in dem Fenster stehn?
Vor ihr, der Hochhehren,
alle gramschweren
   Wolken bald zergehn.
Sie leuchtet, wie die Sonne strahlt
   über dem lichten Morgen.
Solang sie verborgen,
bedrohten mich Sorgen,
   die mir nun verwehn.

Ward wer ihrer inne,
der seine Sinne
   noch behalten hab',
Gott es ihm lohne,
wenn sie mit der Krone
   schreitet hier herab,
so er sie ruft, zu trösten mich,
   eh' daß ich verscheide,
denn Freude samt Leide
wollen mich beide
   bringen in das Grab.

Mit Buchstaben feine
soll einst auf dem Steine
   meines Grabes stehn:

wie liep si mir wêre
und ich ir unmêre:
   swêr dan über mich gât,
daz der lese dise nôt
   und gewinne künde
der víl grôzen sünde
   díe si an ir fründe
    her begangen hât.

Seelenminne

Vil süeziu senftiu tôterinne,
   war umbe welt ir tôten mir den lîp?
ich iuch sô herzeclîchen minne,
   zewâre, frouwe, gar für elliu wîp.
wênet ir, ob *mir den lîp ir* tôtet,
   daz ích iuch danne niemer mê beschouwe?
nein, iuwer minne hât mich des ernôtet
   daz iuwer sêle ist mîner sêle frouwe.
sól mir hie niht guot geschên
   von iuwerm werden lîbe,
sô muoz mîn sêle iu des verjên
   daz si íuwerre sêle dienet dort   als einem reinen wîbe.

ALBREHT VON JOHANSDORF

Wunsch vor der Kreuzfahrt

Ich hân durch got daz crûce an mich genomen
   und var dâ hin durch mîne missetât.
nu helfe er mir, ob ich her wider kome,
   ein wîp diu grôzen kumber von mir hât,

wie sehr ich sie liebte
und sie mich betrübte.
Wer vorbei wird gehn,
der lese dann von meiner Not.
Die Schrift ihm künde,
welch große Sünde
von ihr ohne Gründe
ihrem Freund geschehn.

Seelenminne

Vielsüße, sanfte Töterin,
warum denn wollt Ihr töten meinen Leib,
wo ich von Herzen gut Euch bin,
Herrin, fürwahr wie keinem andern Weib?
Wähnet Ihr, wenn Euch mein Tod gelungen,
daß ich Euch nimmer wieder dann erschaue?
Nein, Eure Minne hat mich so durchdrungen,
daß Eure Seele meiner Seele Fraue.
Soll mir hier nicht Heil geschehn
von Eurem keuschen Leibe,
muß meine Seele Euch gestehn,
daß Eurer Seele dort sie dient   als einem reinen Weibe.

ALBRECHT VON JOHANNSDORF

Wunsch vor der Kreuzfahrt

Zu Gottes Ruhm hab ich das Kreuz genommen
und fahr dahin für meine Missetat.
Nun helf' er, so ich werde wiederkommen,
daß ich, die großen Kummer um mich hat,

daz ich si vinde an ir êren:
   sô wert er mich der bete gar.
sül aber si ir leben verkêren,
   sô gebe got, daz ich vervar!

Minne und Treue

Wie sich minne hebt daz weiz ich wol;
   wie si ende nimt des weiz ich niht.
ist daz ich es inne werden sol
   wie dem herzen herzeliep geschiht,
sô bewar mich vor dem scheiden got,
   daz waene bitter ist:
   disen kumber fürhte ich âne spot.

»Swâ zwei herzeliep gefriundent sich
   unde ir beider minne ein triuwe wirt,
die sol niemen scheiden, dunket mich,
   al die wîle unz sî der tôt verbirt.
waere diu rede mîn, ich taete alsô:
   verlüre ich mînen friunt,
   seht, sô wurde ich niemer mêre frô.

Dâ gehoeret manic stunde zuo
   ê daz sich gesamne ir zweier muot.
dâ daz ende denne unsanfte tuo,
   ich waene des wol, daz ensî niht guot.
lange sî ez mir vil unbekant!
   und werde ich iemen liep
   dér sî sîner triuwe an mir gemant.«

Der ich diene und iemer dienen wil,
   diu sol mîne réde vil wól verstân.
spraeche ich mêre, des wúrde alze vil.
   ich wil ez allez an ir güete lân.

einst finde noch in Zucht und Ehren:
    mag, was ich bitte, mir geschehn.
Doch sollt ihr Wandel sich verkehren,
    dann lasse Gott mich untergehn.

Minne und Treue

Wie die Minne anhebt, weiß ich wohl,
    wie sie endet aber, weiß ich nicht.
Wenn ich dessen inne werden soll,
    wie das Herz erfährt der Liebe Licht,
so bewahr mich vor dem Scheiden, Gott,
    das überbitter ist:
    davor ist mir bange, ohne Spott.

»Wo zwei Herzen lieb gefreunden sich,
    deren Bündnis *eine* Treue kennt,
niemand soll sie scheiden, dünket mich,
    bis der Tod sie voneinander trennt.
Wollt' es gelten mir, ich spräche so:
    Verlör' ich meinen Freund,
    seht, ich würde niemals wieder froh.

Es gehören Stunden viel dazu,
    eh' zwei Herzen kommen überein.
Raubt das Scheiden dann der Seele Ruh,
    wie erträgt sie solche herbe Pein?
Bleibe immerdar es mir erspart!
    Darum innig sei gemahnt,
    wer mich liebt, daß er mir Treue wahrt.«

Der ich dien und immer dienen will,
    die soll meine Rede wohl verstehn.
Spräch' ich mehr, es wäre allzuviel.
    Ihrer Güte geb ich mich zu Lehn,

ir genâden der bedarf ich wol.
    und wil si, ich bin frô;
    und wil si, sô ist mîn hérze leides vol.

WALTHER VON DER VOGELWEIDE

Der Minne Gewalt

Ich freudehelfelôser man
    war umbe mach ich manegen frô,
der mir es niht gedanken kan?
    owê wie tuont die friunde sô?
jâ friunt! waz ich von friunden sage!
    het ich decheinen, dér vernaeme ouch mîne klage.
nu enhân ich friunt, nu enhân ich rât:
    nû tuo mir swie dû wellest, minneclîchiu Minne,
    sît nieman mîn genâde hât.

Vil minneclîchiu Minne, ich hân
    von dir verloren mînen sin.
dû wilt gewalteclichen gân
    in mînem herzen ûz und in.
wie mac ich âne sin genesen?
    dû wonest an sîner stat, da er înne solte wesen:
dû sendest in, du weist wol war.
    da enmac er leider niht erwerben, frouwe Minne:
    owê, dû soltest selbe dar.

Genâde, frouwe Minne! ich wil
    dir umbe dise boteschaft
gefüegen dînes willen vil:
    wis wider mich nû tugenthaft.
ir herze ist rehter fröuden vol,
    mit lûterlîcher reinekeit gezieret wol:

ihrer Gnade, der bedarf ich wohl.
Und will sie, bin ich froh,
und will sie, ist mein Herz des Leides voll.

WALTHER VON DER VOGELWEIDE

Der Minne Gewalt

Ich freudenhilfeloser Mann,
   warum denn mach ich manchen froh,
der mir es doch nicht danken kann?
   O weh, warum sind Freunde so?
Freunde! Was ich von Freunden sage!
   Besäß' ich einen, der vernähm' auch meine Klage.
Nun fehlt mir Freund, nun fehlt mir Rat:
   tu du mir, wie du willst, du minnereiche Minne,
   da niemand mit mir Mitleid hat.

O minnereiche Minne du,
   durch dich verlor ich meinen Sinn.
Gewaltig störst du meine Ruh,
   wogst mir im Herzen her und hin.
Wie soll ich ohne Sinn genesen?
   Wohnung an seiner Statt hast du darin erlesen:
du sendest ihn, weißt wohl, wohin.
   Dort kann er leider nichts bestellen, Herrin Minne:
   sei selber du die Werberin!

Gnade, Frau Minne! Sieh, ich will
   um deine Botendienste dir
zu Willen tun noch viel, o viel!
   So sei auch du gefällig mir.
Ihr Herz, von Freuden reich beglückt,
   ist aller Makel bar mit Lauterkeit geschmückt.

erdringest dû dâ dîne stat,
   sô lâ mich in, daz wir si mit einander sprechen.
   mir missegîe, do ichs éine bat.

Genaedeclîchiu Minne, lâ:
   war umbe tuost dû mir so wê?
dû twingest hie, nû twinc ouch dâ,
   und sich wâ sie dir widerstê.
nû wil ich schouwen ób du iht tügest.
   du endarft niht jehen daz dû in ir herze enmügest:
ez enwart nie sloz sô manicvalt,
   daz ez vor dir bestüende, diebe meisterinne.
   tuon ûf! sist wider dich ze balt.

Wer gap dir, Minne, den gewalt,
   daz dû doch sô gewaltic bist?
dû twingest beide junc und alt:
   dâ für kan nieman keinen list.
nû lob ich got, sît dîniu bant
   mich sulen twingen, deich sô rehte hân erkant
wâ dienest werdeclîchen lît.
   dâ von enkume ich niemer, gnâde, ein küneginne!
   lâ mich dir leben mîne zît.

Maiwunder

   Muget ir schouwen waz dem meien
      wunders ist beschert?
   seht an pfaffen, seht an leien,
      wie daz allez vert.
   grôz ist sîn gewalt:
      ích enweiz óbe er zouber künne:
      swar er vert in sîner wünne,
      dâ enist nieman alt.

Dringest du dort siegreich ein,
  schaff Raum auch mir, daß wir sie miteinander sprechen.
  Fehl ging's, als ich sie sprach allein.

Laß, Minne, ab! Sei gnädig mir!
  Warum nur tust du mir so weh?
Du zwingest da, du zwingest hier.
  Sieh nun, ob sie dir widersteh'.
Nun will ich, was du taugest, schauen.
  Sag nicht, sie weigre dir ihr herzliches Vertrauen:
Kein Schloß sich je so schwierig fand,
  daß es vor dir bestünde, Diebesmeisterin.
  Brich ihren kecken Widerstand!

Wer gab dir, Minne, die Gewalt,
  daß du so gar gewaltig bist?
Du zwingest beide, Jung und Alt,
  dawider gibt es keine List.
Nun lob ich Gott, von dir gebannt,
  daß ich so recht in meinem Innersten erkannt,
wo Dienst zu tun voll Würdigkeit,
  von dem ich niemals scheide. Gnade, Königin!
  Dir lebe ich auf Lebenszeit.

Maiwunder

Wollt ihr schauen, was dem Maien
  Wunders ist beschert?
Seht die Pfaffen, seht die Laien,
  wie das zieht und fährt!
Groß hat er Gewalt:
  Ob er Zauberwerk ersonnen?
  Wo er kommt in seinen Wonnen,
  da ist niemand alt.

Uns wil schiere wol gelingen,
    wir suln sîn gemeit,
tanzen lachen unde singen,
    âne dörperheit.
wê wer waere unfrô?
    sît die vogele alsô schône
    singent in ir besten dône,
    tuon wir ouch alsô!

Wol dir, meie, wie dû scheidest
    allez âne haz!
wie du walt und ouwe kleidest
    und die heide baz!
diu hât varwe mê.
    »du bist kurzer, ich bin langer«,
    alsô strîten si ûf dem anger,
    bluomen unde klê.

Rôter munt, wie dû dich swachest!
    lâ dîn lachen sîn.
scham dich daz dû mich an lachest
    nâch dem schaden mîn.
ist daz wol getân?
    ôwê sô verlorner stunde,
    sol von minneclîchem munde
    solch unminne ergân!

Daz mich, frouwe, an fröuden irret,
    daz ist iuwer lîp.
an iu einer ez mir wirret,
    ungenaedic wîp.
wâ nemt ir den muot?
    ir sît doch genâden rîche:
    tuot ir mir ungnaedeclîche,
    sô sît ir niht guot.

Was wir wagen, muß gelingen
in der Maienzeit.
Laßt uns tanzen, lachen, springen,
doch mit Artigkeit!
Wäre wer nicht froh,
da die Stare, Finken, Meisen
proben ihre besten Weisen?
Tun wir auch also.

Wohl dir, Mai, der du entscheidest
alles ohne Haß!
Wie du Wald und Aue kleidest
licht mit Laub und Gras!
War es bunter je?
»Du ein kurzer, ich ein langer«,
eifern Halme auf dem Anger,
Blumen auch und Klee.

Roter Mund, du tust dir Schaden,
laß dein Lachen sein!
Schäm dich, daß du ohne Gnaden
lachest meiner Pein.
Ist das wohlgetan?
Weh der so verlornen Stunde!
Stehet minniglichem Munde
solche Unhuld an?

Frau, wer Freude mir verbittert,
das seid Ihr, nur Ihr,
daß mein Herz der Gram umgittert
trotz der Maienzier.
Woher Euer Mut?
Alle Holdheit ist Euch eigen:
wollt Ihr Euch ungnädig zeigen,
so seid Ihr nicht gut.

Scheidet, frouwe, mich von sorgen,
   liebet mir die zît:
oder ich muoz an fröuden borgen.
   daz ir saelic sît!
  muget ir umbe sehen?
   sich fröut al diu werlt gemeine:
   möhte mir von iu ein kleine
   fröudelîn geschehen!

Zweisamkeit

Bin ich dir unmaere,
  des enweiz ich niht: ich minne dich.
einez ist mir swaere,
  dû sihst bî mir hin und über mich.
dáz solt dû vermîden
  ích enmac niht erlîden
sólhe liebe ân grôzen schaden:
  hilf mir tragen, ich bin ze vil geladen.

Sol daz sîn dîn huote
  daz dîn ouge an mich sô selten siht?
tuost dû mirz ze guote,
  sône wîze ich dir dar umbe niht.
sô mît mir daz houbet,
  daz sî dir erloubet,
und sich nider an mînen fuoz,
  sô dû baz enmügest: daz sî dîn gruoz.

Swanne ichs alle schouwe,
  die mir suln von schulden wol behagen,
sô bist dûz mîn frouwe:
  dáz mac ich wol âne rüemen sagen.
edel unde rîche
  sint si sumelîche,

Löset, Herrin, mich von Sorgen,
   habt mir liebe Zeit!
Oder ich muß Freuden borgen.
   Daß Ihr selig seid!
Wollet um Euch sehn:
   Eitel Lust des Maienscheines!
   Mag auch mir von Euch ein kleines
   Freudelein geschehn!

Zweisamkeit

Bin ich dir zuwider?
   Ach, ich weiß es nicht: ich liebe dich.
Eins nur beugt mich nieder,
   du blickst an mir hin und über mich.
Das sollst du vermeiden,
   ich mag nicht erleiden
Liebe ohne großen Schaden.
   Hilf mir tragen! Ich bin sehr beladen.

Soll ich Vorsicht nennen,
   daß du mir nicht gönnst dein Angesicht?
Könnt' ich das erkennen,
   ich verwiese dir es wahrlich nicht.
Meidest du mein Haupt?
   Das sei dir erlaubt.
Sieh herab auf meinen Fuß,
   wenn du sonst nichts wagst. Das sei dein Gruß.

Vor den Frauen allen,
   die mit Recht mir möchten wohl behagen,
bist du mein Gefallen.
   Solches darf ich ohne Rühmen sagen.
Mögen manche gleich
   edel sein und reich,

dar zuo tragent si hôhen muot:
    lîhte sint si bezzer, dû bist guot.

Frouwe, dû versinne
    dích ob ich dir zihte maere sî.
eines friundes minne
    diust niht guot, da ensî ein ander bî.
minne entouc niht eine,
    si sol sîn gemeine,
sô gemeine daz si gê
    durch zwei herze und durch dekeinez mê.

Traumliebe

»Nemt, frouwe, disen kranz!«
    álsô sprach ich zeiner wol getânen maget,
»sô zieret ir den tanz,
    mit den schoenen bluomen, áls ir si ûffe traget.
hetích vil edele gesteine,
    daz müeste ûf iuwer houbet,
    óbe ir mirs geloubet.
    sêt mîne triuwe, daz ichs meine.

Ir sît sô wol getân,
    daz ich iu mîn schapel gerne geben wil,
sô ichz áller beste hân.
    wîzer unde rôter bluomen weiz ich vil:
die stênt niht verre in jener heide.
    dâ si schône entspringent
    und die vogele singent,
    dâ suln wir si brechen beide.«

Si nam daz ich ir bôt
    einem kinde vil gelîch daz êre hât.
ir wangen wurden rôt
    same diu rôse, dâ si bî der liljen stât.

dazu tragen hohen Mut!
　　Sind vielleicht auch besser: du bist gut.

Herrin, nun besinne
　　dich, ob ich ein wenig wert dir sei!
Eines Freundes Minne
　　frommt nicht, ist die andre nicht dabei.
Minne taugt nicht einsam,
　　sie soll sein gemeinsam,
so gemeinsam, daß sie geht
　　durch zwei Herzen und sonst nichts erfleht.

Traumliebe

»Nehmt, Fraue, diesen Kranz!«
　　also sagt’ ich einer wunderhübschen Magd,
»so zieret ihr den Tanz,
　　wenn ihr im Haar die bunten Blumen tragt.
Hätt’ ich edelste Gesteine,
　　mich würde mehr beglücken,
　　euch damit zu schmücken.
　　Vertraut mir, daß ich’s treulich meine.

Ihr seid so wohlgetan,
　　daß ich euch mein Kränzlein gerne geben will,
so gut ich’s winden kann.
　　Blumen, weiße und auch rote, weiß ich viel:
die stehn nicht fern auf jener Heide,
　　wo lieblich sie entspringen
　　bei der Vögel Singen,
　　da sollten wir sie pflücken beide.«

Sie nahm, was ich ihr bot,
　　ähnlich einem Kinde, das in Züchten glüht.
Die Wange ward ihr rot,
　　gleich der Rose, wenn sie unter Lilien blüht.

do erschâmpten sich ir liehten ougen:
   dóch neic si mir schône.
   daz wart mir ze lône:
   wirt mirs iht mêr, daz trage ich tougen.

Mich dûhte daz mir nie
   lieber wurde, danne mir ze muote was.
die bluomen vielen ie
   von dem boume bî uns nider an daz gras.
seht, dô muost ich von fröuden lachen.
   do ich sô wünneclîche
   was in troume rîche,
   dô tagete ez und muose ich wachen.

Mir ist von ir geschehen,
   daz ich disen sumer allen meiden muoz
vaste únder d' ougen sehen:
   lîhte wirt mir einiu: so ist mir sorgen buoz.
waz óbe si gêt an disem tanze?
   frouwe, durch iuwer güete
   rucket ûf die hüete.
   ôwê gesaehe ich si under kranze!

Unter der Linde

»Under der linden
   án der heide,
   dâ únser zweier bette was,
dâ muget ir vinden
   schône beide
   gebrochen bluomen unde gras.
vór dem walde in einem tal,
   tandaradei,
   schône sanc diu nahtegal.

Nieder schlug sie ihre Augen,
    doch ein holdes Neigen
    ward zum Lohn mir eigen,
    und für mehr noch mag mein Schweigen taugen.

Ich meinte, daß mir nimmer
    Liebes wurde, als ich da besaß.
Die Blüten fielen immer
    von den Bäumen um uns nieder in das Gras.
So fröhlich war ich, daß ich lachte,
    als ich traumumsponnen
    schwelgte so in Wonnen.
    Da ward es Tag, und ich erwachte.

Seither ist mir geschehn,
    daß ich diesen Sommer allen Mädchen muß
tief in die Augen sehn.
    Fände ich sie wieder, schwände mein Verdruß.
Ob sie wohl geht zu diesem Tanze?
    Frauen, habt die Güte,
    rückt empor die Hüte!
    Ach säh' ich sie doch unterm Kranze.

Unter der Linde

»Unter der Linden
    an der Heide,
    wo fröhlich mir das Herz genas,
da möget ihr finden,
    wie wir beide
    die Blumen knickten und das Gras.
Vor dem Wald in einem Tal,
    tandaradei!
    sang so süß die Nachtigall.

Ich kam gegangen
 zuo der ouwe:
  dô was mîn friedel komen ê.
dâ wart ich empfangen
 hêre frouwe
  daz ich bin saelic iemer mê.
kust er mich? wol tûsentstunt:
 tandaradei,
  séht wie rôt mir ist der munt.

Dô hete er gemachet
 alsô rîche
  von bluomen eine bettestat.
des wirt noch gelachet
 inneclîche,
  kumt iemen an daz selbe pfat.
bî den rôsen er wol mac
 tandaradei,
  merken wâ mirz houbet lac.

Daz er bî mir laege,
 wesse ez iemen
  (nu enwélle got!), so schamte ich mich.
wes er mit mir pflaege,
 niemer niemen
  bevinde daz wan er und ich
und ein kleinez vogellîn:
 tandaradei,
  daz mac wol getriuwe sîn.«

Ich kam gegangen
zu der Aue:
mein Allerliebster war schon dort.
Da ward ich empfangen,
hehre Fraue,
daß ich bin selig immerfort.
Küßt er mich? O manche Stund!
Tandaradei!
Seht, wie rot er ist, mein Mund!

Ich sah ihn machen
uns ein Bette
von Heideblumen allerlei.
Darüber wird lachen,
wer der Stätte,
der wonnereichen, kommt vorbei.
An den Rosen er wohl mag,
tandaradei!
merken, wo das Haupt mir lag.

Daß er bei mir ruhte,
wüßt' es einer,
verhüte Gott, ich schämte mich.
Wie heiß mich der Gute
küßte, keiner
je wisse das als er und ich
und ein kleines Vögelein,
tandaradei!
Das wird wohl verschwiegen sein.«

Liebe macht schön

Herzeliebes frouwelîn,
  got gebe dir hiute und iemer guot.
kunde ich baz gedenken dîn,
  des hete ich willeclîchen muot.
wáz mac ich dir sagen mê,
  wan daz dir nieman holder ist?
                              owê, dâ vón ist mir vil wê.

Sie verwîzent mir daz ich
  sô nidere wende mînen sanc.
dáz si niht versinnent sich
  waz liebe sî, des haben undanc!
sie getraf diu liebe nie,
  die nach dem guote und nach der schoene
                              minnent: wê wie minnent die?

Bî der schoene ist dicke haz:
  zer schoene niemen sî ze gâch.
liebe tuot dem herzen baz:
  der liebe gêt diu schoene nâch.
liebe machet schoene wîp:
  des enmác diu schoene niht getuon:
                              si enmáchet niemer lieben lîp.

Ich vertrage als ich vertruoc
  und als ich iemer wil vertragen.
dû bist schoene und hâst genuoc:
  waz múgen si mír dâ von gesagen?
swaz si sagen, ich bin dir holt
  und nim dîn glesîn vingerlîn
                              vür einer küneginne golt.

Hâst dû triuwe und staetekeit,
  sô bín ich sîn ân angest gar

Liebe macht schön

Herzensliebe kleine Frau,
    Gott sei dir heut und immer gut!
Könnt' ich Beßres wünschen, schau,
    ich wünschte dir's, du junges Blut.
Was soll ich dir sagen mehr,
    als daß dir niemand holder ist als ich?
                      Das macht das Herz mir schwer.

Sie verweisen mir, daß ich
    dir Niedren singe mein Gedicht.
Wie sie doch verhehlen sich,
    was Liebe ist! Ich lob es nicht.
Sie erlebten Liebe nie,
    die da nach Erdengut und Schönheit
                    minnen; o wie minnen die!

Bei der Schönheit wohnt oft Haß,
    zur Schönheit hin sei niemand jach.
Auf die Liebe ist Verlaß:
    der Liebe steht die Schönheit nach.
Liebe macht sie schön, die Fraun,
    die bloße Schönheit aber kann
                    auf ihren Eigenwert nicht baun.

Ich ertrag's, wie ich's ertrug
    und wie ich's künftig will ertragen.
Du bist schön und mir genug,
    was immer sie mir davon sagen.
Was man sagt, ich bin dir hold
    und nehme deinen Ring aus Glas
                    für aller Königinnen Gold.

Hast du Treu und Stetigkeit,
    so bin ich aller Bangnis bar,

daz mir iemer herzeleit
  mit dînem willen widervar.
hâst aber, dû der zweier niht,
  so enmüezest dû mîn niemer werden.
              ôwê danne, ob daz geschiht!

Das bessere Spiel

Sô die bluomen ûz dem grase dringent,
  same si lachen gegen der spilnden sunnen,
  in einem meien an dem morgen fruo,
und diu kleinen vogellîn wol singent
  ín ir besten wîse die si kunnen,
  waz wünne mac sich dâ gelîchen zuo?
es ist wol halb ein himelrîche.
  suln wir sprechen waz sich deme gelîche,
sô sage ich waz mir dicke baz
  in mînen ougen hât getân,
  und taete ouch noch, gesaehe ich daz.

Swâ ein edeliu frouwe reine,
  wol gekleidet unde wol gebunden,
  durch kurzewîle zuo vil liuten gât,
hovelîchen hôchgemuot, niht eine,
  umbe sehende ein wênic under stunden,
  alsam der sunne gegen den sternen stât, –
der meie bringe uns al sîn wunder,
  wáz ist dâ sô wünneclîches under,
als ir vil minneclîcher lîp?
  wir lâzen alle bluomen stân
  und kapfen an daz werde wîp.

Nû wol dan, welt ir die wârheit schouwen!
  gên wir zuo des meien hôchgezîte!
  der ist mit aller sîner krefte komen.

daß mir je ein Herzeleid
  mit deinem Willen widerfahr'.
Hast du aber beides nicht,
  so mögest nimmer du die meine werden,
                                 ob mein Herz auch bricht.

Das bessere Spiel

Wenn die Blumen aus dem Grase dringen,
  so als lachten sie zum Spiel der Sonne,
  des Morgens früh an einem Maientag,
und die kleinen Vögel lieblich singen
  ihre besten Weisen, welche Wonne
  gäb' es da, die dieser gleichen mag?
Man weilt schon halb im Himmelreiche.
  Soll ich sagen, was ich dem vergleiche,
so sage ich, was wohlgetan
  hat meinen Augen oft und oft,
  daran sie nie noch satt sich sahn.

Wo die Edelherrin schön, die reine,
  in der Stirn- und Wangenbinde schreitet
  zum Gästesaal zu Kurzweil und zu Tanz,
sittig mit den Frauen im Vereine,
  selten daß ihr Blick zur Seite gleitet,
  wie die Sonne überm Sternenglanz:
der Mai entfalte seine Wunder,
  welche Augenwonne ist darunter
wie ihre lichte Huldgestalt?
  Wir lassen alle Blumen stehn:
  das Weib hat süßere Gewalt.

Nun wohlan, wollt ihr die Wahrheit schauen!
  Eilen wir zum hohen Maienfeste!
  Mit aller seiner Macht ist er gekommen.

séht an in und seht an schoene frouwen,
    wederz dâ daz ander überstrîte:
    daz bezzer spil, obe ich daz hân genomen.
owê der mich dâ welen hieze,
    deich daz eine durch daz ander lieze,
wie rehte schiere ich danne kür!
    her Meie, ir müeset merze sîn,
    ê ich mîn frouwen dâ verlür!

Männerwille, Frauensitte

Ich hoere iu sô vil tugende jehen,
    daz iu mîn dienest iemer ist bereit.
enhaete ich iuwer niht gesehen,
    daz schadete mir an mîner werdekeit.
nû wil ich deste tiurre sîn
    und bite iuch, vrouwe,
    daz ir iuch underwindet mîn.
ich lebete gerne, kunde ich leben:
    mîn wille ist guot, nû bin ich tump:
    nû sult ir mir die mâze geben.

»Kunde ich die mâze als ich enkan,
    sô waere et ích zer werlte ein saelic wîp.
ir tuot als ein wol redender man,
    daz ir sô hôhe tiuret mînen lîp.
ich bin vil tumber danne ir sît.
    wáz dar umbe?
    doch wil ich scheiden disen strît.
tuot allerêrst des ich iuch bite
    und saget mir der manne muot:
    sô lêre ich iuch der wîbe site.«

Wir wellen daz diu staetekeit
    der wîbes güete gar ein krône sî.

Prüfet ihn und prüft den Preis der Frauen,
   welches dieser beiden sei das beste.
   Sagt, ob ich das beßre Spiel genommen.
O weh, wenn man mich küren hieße,
   daß ich eines für das andre ließe,
wie schnell dann meine Wahl gescheh'!
   Herr Mai, ihr müßtet Märze sein,
   eh' ich von meiner Frauen geh!

Männerwille, Frauensitte

Viel hör ich Eure Tugend ehren,
   so daß Euch meine Dienste stets bereit.
Wollt Ihr mir, Euch zu sehn, verwehren,
   ich büßte es an meiner Würdigkeit.
Will Eurer wert sein, wie ich kann,
   und bitt Euch, Fraue,
   nehmt Euch in Gnaden meiner an.
Ich lebte gern, wüßt' ich zu leben:
   schlecht bin ich nicht, doch noch ein Tor.
   Ihr sollt das rechte Maß mir geben.

»Vermöcht' ich, was ich nicht vermag,
   wär' ich ein glücklich Weib wohl in der Welt.
Was stört Ihr mir meinen stillen Tag,
   daß Ihr, beredter Mann, so hoch mich stellt?
Ich bin viel törichter als Ihr,
   darf ich's verhehlen?
   Doch schlichte diesen Streit ich hier.
Tut mir zuerst, worum ich bitte,
   und kündet Männerwillen mir,
   so lehre ich Euch Frauensitte.«

Wir wollen, daß die Stetigkeit
   der Frauentugend lichte Krone sei.

kan si mit züchten sîn gemeit,
   sô stêt diu lilje wol der rôsen bî.
nû merket wie der linden stê
   der vogele singen,
   dar under bluomen unde klê:
noch baz stêt wîben werder gruoz.
   ir minneclîcher redender munt
   der machet daz man küssen muoz.

»Ich sage iu wer uns wol behaget:
   der beide erkennet übel unde guot,
und ie daz beste von uns saget,
   dem sîn wir holt, ob erz mit triuwen tuot.
kan er zu rehte wesen frô
   und im gemuoten
   ze mâze nider unde hô,
der mac erwerben des er gert:
   welch wîp verseit im einen vaden?
   guot man ist guoter sîden wert.«

WOLFRAM VON ESCHENBACH

Der Drache Tag

»Sîne klâwen
   durch die wolken sint geslagen,
   er stîget ûf mit grôzer kraft.
ich sihe in grâwen
   tägelîch als er wil tagen,
   den tac der im geselleschaft
erwenden wil, dem werden man,
   den ich mit sorgen în verliez.
ich bringe in hinnen, ob ich kan.
   sîn manegiu tugent mich daz leisten hiez.«

Wenn Adel ihren Frohsinn weiht,
  so steht die Lilie der Rose bei.
Bemerket, wie der Linde steh'
  der Vögel Singen,
  darunter Blumen blühn und Klee.
Mehr noch steht Fraun ihr edler Gruß.
  Ein Wort aus Eurem lieben Mund
  bewirkt, daß man ihn küssen muß.

»Ich sage Euch, wer uns behagt:
  Wer weiß zu unterscheiden Schlecht und Gut,
stets Bestes von uns singt und sagt,
  dem sind wir hold, wenn er's in Treuen tut.
Kann er, so wie es sich gebührt,
  froh sein mit Maß,
  niemals von Übermut verführt,
erwirbt er auch, was er begehrt:
  Welch Weib versagt ihm einen Faden?
  Gut Mann ist guter Seide wert.«

WOLFRAM VON ESCHENBACH

Der Drache Tag

»Seine Krallen
  durch den Wolkenwall geschlagen,
  mit großer Kraft steigt er empor
zu Turm und Hallen,
  hebt grau es an zu tagen,
  allmorgens aus dem fahlen Flor,
er, der nun Trennung schafft dem Mann,
den ich herein mit Sorgen ließ.
Das Horn setz ich zum Wecken an,
  wie seine hohe Tugend es mich hieß.«

»Wahter du singest,
    daz mir manege fröude nimt
    unde mêret mine klage.
maere du bringest,
    der mich leider niht gezimt,
    immer morgens gegen dem tage.
diu solt du mir verswîgen gar.
    daz gebíute ich den triuwen dîn:
des lône ich dir als ich getar.
    sô belîbet hie der geselle mîn.«

»Er muoz et hinnen
    balde und âne sûmen sich:
    nu gip im urloup, süezez wîp!
lâze in minnen
    her nâch sô verholne dich,
    daz er behalte êre und den lîp.
er gap sich mîner triuwe alsô,
    daz ich in braehte ouch wider dan.
ez ist nû tac: naht was ez dô
    mit drucke an brust dîn kus mir in án gewan.«

»Swaz dir gevalle,
    wachter, sinc, und lâ den hie,
    der minne brâhte und minne enphienc.
von dînem schalle
    ist er und ich erschrocken ie,
    sô ninder morgensterne ûf gienc
ûf in, der her nâch minne ist komen,
    noch ninder lûhte tages lieht:
du hâst in dicke mir benomen
    von blanken armen und ûz herzen nieht.«

Von den blicken,
    die der tac tet durch diu glas,
    und dô der wahter warnen sanc,

»Wächter, du singest,
   was mir meine Freude nimmt
   und mehret meines Herzens Qual.
Kunde bringest
   du mir, die mich traurig stimmt
   stets frühe vor dem Morgenstrahl.
Daß du verschweigest jeden Ton,
   bei deiner Treu gebiet ich dir.
Wie ich nur kann, geb ich dir Lohn,
   lässest du meinen Trauten noch bei mir.«

»Er muß von hinnen
   eilig, meine holde Frau!
   Gib Urlaub! Keine Saumsal mehr!
Laß ihn minnen,
   kehrt er ein im Abendtau,
   daß er bewahre Leib und Ehr.
Er baut auf meine treue Wacht,
   so daß ich ihm gehorchen muß.
Jetzt ist es Tag, verrauscht die Nacht,
   zu der du ihn gewannst durch Freundeskuß.«

»Was dir gefalle,
   Wächter, sing, nur laß ihn hier,
   der Minne brachte und empfing!
Von deinem Schalle
   allzuoft erschraken wir.
   Noch nicht der Morgenstern aufging
ihm, der um Liebe ist gekommen.
   Noch dämmert nicht des Tages Licht.
Du hast ihn mir so oft genommen
   aus weißen Armen, aus dem Herzen nicht.«

Der Blick, der grasse,
   den durchs Fenster schoß der Tag,
   indes der Wächter warnend sang,

si muose erschricken
   dúrch den der dâ bi ir was.
   ir brüstelîn an brust si twanc.
der ritter ellens niht vergaz
   (des wolde in wenden wahters dôn):
úrloup nâh und nâher baz
   mit kusse und anders gap in minne lôn.

Wächter, schweig!

Der helden mínnè ir klage
   du súngè ie gegen dem tage,
daz sûre nâch dem süezen:
   swer minne und wîplich grüezen
   alsô enpfienc,
daz si sich muosen scheiden.
   swaz du dô riete in beiden,
   dô ûf gienc
der morgensterne, wahter, swîc,
   dâ von niht langer sinc.

Swer pfliget oder ie gepflac
   daz er bî lieben wîbe lac
den merkern unverborgen,
   der darf niht durch den morgen
   dannen streben,
er mac des tages erbeiten:
   man darf in niht ûz leiten
   ûf sîn leben:
ein offen süeze wirtes wîp
   kan solhe minne geben.

traf jäh die Blasse,
   und ihr armes Herz ward zag.
   Die Brüste dicht an Brust sie zwang.
Dem Ritter aber wuchs der Mut,
   doch dringender rief ihn der Ton
des Wächterhorns. In Frührotglut
   nahm auf den Weg er letzten Liebeslohn.

Wächter, schweig!

Der Heldenminne Klage
   sangest du stets vor Tage,
das Saure nach dem Süßen:
   Wer Kuß und Frauengrüßen
   also empfing,
daß sie sich mußten scheiden.
   Was du da rietest beiden,
   als aufging
der Morgenstern, o Wächter, schweig:
   Davon nicht länger sing!

Wer wohl umhegt bis an den Tag
   bei seinem lieben Weibe lag,
den Merkern unverborgen,
   der muß nicht früh am Morgen
   von dannen streben.
Man braucht ihn nicht beizeiten
   mit Sorge ausgeleiten:
   bang ums Leben.
Ein eheliches süß Gemahl
   kann solche Minne geben.

IV. Wende und Nachklang

NITHART

Sag mir den Namen

Ine gesach die heide
  nie baz gestalt,
in liehter ougenweide
  den grüenen walt.
án den beiden kiesen wir den meien.
  ir mägde, ir sult iuch zweien,
  gein dirre liehten sumerzît
  in hôhem muote reien.

Lop von mangen zungen
  der meie hât.
die bluomen sint entsprungen
  an manger stat
dâ man ê deheine kunde vinden.
  geloubet stânt die linden.
  sich hebt, als ir wol habt vernomen,
  ein tanz von höfschen kinden.

Die sint sorgen âne
  und vröuden rîch.
ir mägde wolgetâne
  und minneclîch
zieret iuch, daz iu die Beier danken,
  die Swâbe und die Vranken.
  ir brîset iuwer hemde wîz
  mit sîden wol zen lanken.

»Gein wem solt ich mich zâfen?«
  sô redete ein maget.

NEIDHART (VON REUENTAL)

Sag mir den Namen

Schöner sah ich die Heide
  niemals blühn,
in lichter Augenweide
  des Waldes Grün.
Da und dort erkennen wir den Maien.
  Ihr Mädchen, geht zu zweien
  in dieser Sommersonnenzeit
  hohen Mutes reien.

Lob von manchen Zungen
  der Mai wohl hat.
Die Blumen sind entsprungen
  an mancher Statt,
wo man früher keine konnte finden.
  Belaubt stehn rings die Linden.
  Nun hebt sich an, wie ihr vernahmt,
  ein Tanz von schmucken Kinden.

Ihre leichten Sinne
  ficht Scheu nicht an.
Ihr Mädchen, die zur Minne
  so wohlgetan,
putzt euch jetzt, daß euch die Bayern danken,
  die Schwaben und die Franken.
  Mit Seide schnürt die Hemden weiß
  zur Hüfte hin, der schlanken.

»Die Mühe wär' verloren«,
  sprach eine Maid,

»die tumben sint entslâfen.
 ich bin verzaget,
vreude und êre ist al der werlde unmaere:
 die man sint wandelbaere:
 deheiner wirbet umbe ein wîp
 der er getiuwert waere.«

»Die réde solt du behalten«,
 sprach ir gespil.
»mit vreuden suln wir alten.
 der manne ist vil
die noch gerne dienent guoten wîben.
 lâz solhe rede belîben.
 ez wirbet einer umbe mich
 der trûren kan vertrîben.«

»Den solt du mir zeigen,
 wie er mir behage.
der gürtel sî dîn eigen,
 den ich umbe trage.
ságe mir sînen namen, der dich minne
 sô tugentlîcher sinne!
 mir ist getroumet hînt von dir,
 dîn muot der stê von hinne.«

»Den sî alle nennent
 von Riuwental
und sînen sanc erkennent
 wol überal,
derst mir holt. mit guote ich im des lône.
 durch sînen willen schône
 sô wil ich brîsen mînen lîp.
 wol dan, man liutet nône!«

»sie liegen auf den Ohren,
   das ist mir leid.
Freude und Wert kam aller Welt abhanden
   dem Männervolk zuschanden:
     Wirbt keiner mehr um eine Frau,
     wo sie sonst Ehre fanden.«

»Die Worte magst du sparen«,
   sprach ihr Gespiel.
»Man kommt noch froh zu Jahren.
   Der Männer viel
dienen immer gerne guten Weiben.
   Laß solche Rede bleiben.
     Um mich wirbt eben einer so,
     der Trauern kann vertreiben.«

»Den sollst du mir zeigen,
   wie er mir behag'.
Der Gürtel sei dein eigen,
   den ich trag.
Sag den Namen mir! Wer will dich minnen
   mit tugendlichen Sinnen?
     Mir träumte heute nacht von dir,
     dein Wille steh' von hinnen.«

»Den sie alle nennen
   von Reuental
und dessen Sang sie kennen
   allüberall,
der ist mir hold, wofür ich Dank ihm sage.
   Daß ich's zum Stolz ihm trage,
     schnür ich mein Sonntagskleid. Nun fort!
     Schon läutet's zu Mittage.«

Mutter und Tochter

»Nu ist der küele winter gar zergangen,
    diu naht ist kurz, der tac beginnet langen:
sich hebet ein wunneclîchiu zît
    diu al der werlde vreude gît,
    baz gesungen nie die vogele ê noch sît.

Kómen ist úns ein liehtiu ougenweide:
    man siht der rôsen wunder ûf der heide,
die bluomen dringent durch daz gras.
    wie schône ein wise getouwet was,
    dâ mir mîn geselle zeinem kranze las!

Der walt hât sîner grîse gar vergezzen,
    der meie ist ûf ein grüenez zwî gesezzen,
er hât gewunnen loubes vil.
    bint dir balde trûtgespil:
    dú weist wol daz ich mit einem ritter wil.«

Daz gehôrte der mägde muoter tougen.
    sî sprach: »behalte hinne vür dîn lougen.
dîn wankelmuot ist offenbâr.
    wint ein hüetel um dîn hâr.
    dú muost âne die dînen wât, wilt án die schar.«

»Muoter mîn, wer gap iu daz ze lêhen
    daz ich iuch mîner waete solde vlêhen?
dérn gespunnet ir nie vadem.
    lâzet ruowen solhen kradem.
    wâ nu slüzzel? sliuz ûf balde mir daz gadem.«

Diu wât diu was in einem schrîne versperret.
    daz wart bî einem staffel ûf gezerret.
diu alte ir leider nie gesach.
    dô daz kint ir kisten brach,
    dô gesweic ir zunge, daz sî niht ensprach.

Mutter und Tochter

»Der letzte Schnee des Winters ist zergangen,
  die Nacht ist kurz, der Tag beginnt zu langen.
Nun kommt die Wunders volle Zeit,
  die Freude aller Welt verleiht.
  So lockend sangen nie die Vögel weit und breit.

Auf ging uns eine lichte Augenweide:
  das Rosenwunder leuchtet in der Heide.
Die Blumen springen aus dem Gras,
  wo mir auf Wiesen frühtaunaß
  zu einem Kranze mir mein Liebster Blumen las.

Der Wald hat rings sein greises Grau vergessen,
  auf grünem Zweigicht ist der Mai gesessen.
Gewonnen hat er Laubes viel.
  Putz dich, hurtig, Trautgespiel!
  Du weißt wohl, daß ich mit einem Ritter will.«

Da des Mädchens Mutter dies vernommen,
  sprach sie: »Es soll dir nicht dein Lügen frommen.
Dein Leichtsinn ist mir offenbar.
  Steck ein Häubchen auf dein Haar!
  Hier bleibt dein Rock, willst du zu deiner Schar!«

»Mutter, wer hat Euch solches aufgetragen,
  daß ich Euch muß um meinen Rock noch fragen?
Gabt Ihr mir doch kein Garn dazu.
  Laßt den Lärm und gebet Ruh!
  Wo ist der Schlüssel? Schließet flugs mir auf die Truh!«

Das Kleid, es lag in einem Schrein versperrt.
  Mit einem Holzscheit ward er aufgezerrt.
Die Alte sah es erst hernach,
  daß die Maid den Schrein erbrach.
  Starr war ihre Zunge, daß kein Wort sie sprach.

Dar ûz nam sî daz röckel alsô balde.
   daz was gelegen in manger kleinen valde.
ir gürtel was ein rieme smal.
   in des hant von Riuwental.
   warf diu stolze maget ir gickelvêhen bal.

Winterfreude

Kint, bereitet iuch der sliten ûf daz îs.
   ja íst der leide winder kalt.
   dér hât uns der wunneclîchen bluomen vil benomen.
manger grüenen linden stênt ir tolden grîs.
   unbesungen ist der walt.
   daz ist alles von des rîfen ungenâden komen.
mugt ir schouwen wie er hât die heide erzogen?
   diust von sînen schulden val.
   dar zuo sint die nahtigal
     álle ir wéc gevlógen.

Wol bedörfte ich mîner wîsen vriunde rât
   umbe ein dinc, als ich iu sage,
   daz sî rieten, wâ diu kint ir vreuden solten phlegen.
Megenwart der wîten stuben eine hât:
   ob ez iu allen wol behage,
   dar suln wir den gofenanz des vîretages legen.
éz ist sîner tohter wille, komen wir dar.
   ir sultz alle ein ander sagen.
   einen tanz al umbe den schragen
     brüevet Engelmâr.

Wer nâch Künegunde gê, des wert enein:
   der was ie nâch tanze wê:
   éz wirt uns verwizzen, ist daz man ir niht enseit.
Gîsel, ginc nâch Jiuten hin und sage in zwein,
   sprich daz Elle mit in gê:
   éz ist zwischen mir und in ein starkiu sicherheit.

Die Junge trug das Kleid zum Tort der Alten.
  Es war gelegt in viele ziere Falten.
Ihr Gürtel war ein Riemen schmal.
  In die Hand des Reuental
  warf die schmucke Maid den gickelbunten Ball.

Winterfreude

Mädchen, kommt aufs Eis zur Schlittenfahrt geschwind!
  Der Winter ist ja leidig kalt.
  Er hat uns der bunten Blumenfreuden viel genommen.
Die grünen Linden biegen sich entlaubt im Wind.
  Sang- und klanglos steht der Wald.
  Das ist alles von des Reifes rauhem Grimm gekommen.
Wollt ihr sehn, wie er die Wiesen überzogen,
  die durch sein Verschulden fahl?
  Nachtigall um Nachtigall
    ist davongeflogen.

Sehr bedarf ich meiner klugen Freunde Rat
  um ein Ding, das ich euch sage;
  daß sie rieten, wo die Jugend soll Vergnügen pflegen.
Megenwart die allergrößte Stube hat:
  ob euch allen es behage,
  daß wir dorthin unsren nächsten Sonntagstanz verlegen?
Seiner Tochter wegen kommen wir fürwahr.
  Einer soll's dem andern sagen.
  Einen Tanz rund um den Schragen
    probt schon Engelmar.

Wer zu Kunigunde soll, kommt überein:
  die hat nichts als Tanz im Sinn.
  Übel sie's vermerkte, gäben wir es ihr nicht kund.
Gisel, geh zu Jiuten du, sag es den zwein,
  sag, daß Elle auch geht hin.
  Halten will ich ihnen, was versprochen hat mein Mund.

kint, vergiz durch niemen Hädewîgen dâ,
 bit si balde mit in gân.
 einen site sulen sî lân:
  binden ûf die brâ.

Ich rât allen guoten wîben über al,
 die der mâze wellent sîn
 dáz sî hôchgemuoten mannen holdez herze tragen.
rucken ez vorne hôher, hinten hin ze tal,
 decken baz daz näckelîn.
wâ zuo sol ein tehtier âne ein collier umbe den kragen?
wîp sint sicher umbe daz houbet her gewesen
 daz eht in daz niemen brach.
 swaz in anderswâ geschach,
  dés sints ouch genesen.

Eppe der zuht Geppen Gumpen ab der hant.
 des half im sîn drischelstab.
 doch geschiet ez mit der riutel meister Adelber.
daz was allez umbe ein ei daz Ruopreht vant
 (jâ waen imz der tievel gap).
 dâ mit drôte er im ze werfen allez jenenther.
Eppe der was beidiu zornic unde kal:
 übellîchen sprach er »tratz«.
 Ruopreht warf imz an den glatz,
  dáz ez ran ze tal.

Frideliep bî Götelinde wolde gân:
 dés het Engelmâr gedâht.
 wil iuch niht verdriezen, ích sage iu daz ende gar.
Eberhard der meier muoste ez understân.
 der wart zuo der suone brâht:
 anders waere ir beider hende ein ander in daz hâr.
zwein vil oeden ganzen gênt sî vil gelîch
 gein einander al den tac.
 der des voresingens phlac,
  dáz was Friderîch.

Doch zunächst, mein Kind, nach Hadewigen sieh:
  Sage du ihr ins Gesicht,
  daß zu tief ihr Tuch sie nicht
    in die Stirne zieh!

Möchte das doch guten Frauen allzuvor
  immer angemessen sein,
  die den wackren Männern hold ihr Herz entgegentragen:
Rückt das Kopftuch hinten tief, vorn hoch empor,
  berget euren Nacken fein.
  Wozu bindet ihr euch einen Sturmhelm um den Kragen?
Aller Frauen Haupt ist sicher stets gewesen.
  Keiner droht' ihm, wie ich sah.
  Des, was ihnen sonst geschah,
    sind sie auch genesen.

Eppe wand die Geppe Gumpen aus der Hand,
  griff dabei zum Drischelstab.
  Doch sie trennte mit dem Knüppel Meister Adelber.
Alles kam von einem Ei, das Ruprecht fand
  und ihm wohl der Teufel gab.
  An den Kopf es ihm zu werfen, juckt ihn sehr.
Eppe mit dem kahlen Schädel das verdroß.
  Wutverbissen rief er: »Tratz!«
  Ruprecht schmiß ihm's an die Glatz',
    daß der Dotter floß.

Friedelieb mit Götelinde wollte gehn,
  was auch Engelmar gedacht.
  Mög' euch nicht verdrießen, sag ich euch das Ende gar.
Erst als Meier Eberhard den Fall besehn,
  ward der Streit zur Ruh gebracht.
  Anders wären beide sich gefahren in das Haar.
Jeder zischt nun wie ein dummer Gänserich
  um den anderen fortan.
  Der die Weise euch ersann,
    das war Friederich.

OTTE VON BOTTENLOUBEN

Herzensgruß

Waere Kristes lôn niht alsô süeze,
   so enlíeze ich niht der lieben frouwen mîn,
diech in mînem herzen dicke grüeze:
   sie mac vil wol mîn himelrîche sîn.
   swâ diu guote wone al umbe den Rîn,
   herre got, nu tuo mir helfe schîn,
   dáz ich mir und ir erwerbe noch die hulde dîn!

»Sît er giht, ich sî sîn himelrîche,
   sô habe ich in zuo gote mir erkorn,
daz er niemer fuoz von mir entwîche.
   herre got, lâ dirz niht wesen zorn.
   érst mir in den ougen niht ein dorn,
   der mir hie ze fröuden ist geborn.
   kumt er mir niht wider,
          mîn spilnde fröude ist gar verlorn.«

FRIDERICH VON LININGEN

»Fahr hin zu guter Stunde«

Swes muot ze fröuden sî gestalt,
   der schouwe an den vil grüenen walt,
   wie wünneclich gekleidet
der meie sîn gesinde hât
   von rîcher varwe in liehte wât;
   den vogeln trûren leidet.
ûz hôhem muote manigen dôn,
   gar rîlîch süeze wîse

OTTO VON BOTENLAUBEN

Herzensgruß

Wäre Kristes Lohn nicht also süße,
   ich ließe nie die liebe Fraue mein,
die ich in meinem Herzen ewig grüße,
   vermag sie doch mein Himmelreich zu sein.
Wo die Gute weile fern am Rhein,
   wolle immer, Gott, mein Helfer sein,
   daß ich mir und ihr erwerbe Deine Huld allein!

»Da er vergleicht mich mit dem Himmelreiche,
   so hab ich ihn zu meinem Gott erkorn,
daß er keinen Fußbreit von mir weiche.
   Herrgott, straf mich nicht mit deinem Zorn.
Er ist meinen Augen nie ein Dorn,
   der zu meinen Freuden ward geborn.
   Kommt er mir nicht wieder,
                wäre all mein Glück verlorn.«

FRIEDRICH VON LEININGEN

»Fahr hin zu guter Stunde«

Wer Freuden recht empfinden mag,
   der schaue an den grünen Hag,
   wie wonniglich gekleidet
der Mai sein Ingesinde hat
   in farbenreiche lichte Wat.
   Ihr Trauern ist verleidet
den Vögeln: fleißig Ton um Ton
   perlt ihre süße Weise

hoert man vón in, lûten klanc,
    vor ûz der nahtegalen sanc
    ûf grüeneberndem rîse.

Von schulden muoz ich sorgen wol,
    von fröuden gît mîn herze zol,
    die wîle ir gruoz mir wildet,
díu mîn herze bî ir hât.
    ach daz si mich in sorgen lât!
    got hât si sô gebildet
dáz mîn herze niht enkan
    noch al mîn sin erdenken
wie si schoener künde sîn,
    diu minneclîche frouwe mîn,
    diu mir wil fröude krenken.

Ach Minne, süeziu râtgebîn,
    rât, daz du saelic müezest sîn,
    mîns herzen küneginne,
rât daz si mir tuo helfe schîn,
    rât daz si wende mînen pîn,
    vil minneclîchiu Minne.
sît du slôz bist unde bant
    mîns herzen und der sinne,
sô râtâ, jâ dêst an der zît:
    mîn trôst, mîn heil gar an dir lît,
    in dîner gluot ich brinne.

Muoz ich nu scheiden sus von ir
    daz ich ir hulden gar enbir,
    owê der leiden verte
die dánn gegen Pülle tuot mîn lîp.
    genâde, saelden rîchez wîp,
    wis gegen mir niht sô herte.
senfte ein kleine dînen muot
    und sprich ûz rôtem munde

mit hellem wechselvollem Klang,
   voraus der Nachtigallensang
   auf dem begrünten Reise.

Ich aber hab zu trauern Grund,
   kann ich von ihrem Blick und Mund
   doch keinen Gruß erlangen,
und hängt mein ganzes Herz an ihr.
   Gott bildete zum Leid sie mir
   in ihrer Reize Prangen,
daß nimmermehr mein Herz sich kann
   noch mein Gedanke denken,
wie sie noch schöner könnte sein,
   die Herrin meiner süßen Pein,
   die mich so herb will kränken.

Ach, weise Minne, rate so,
   daß du, durch meine Freude froh,
   erstrahlst im Kronengolde,
schaff Rat, daß sie mir Hilfe beut,
   schaff Rat, daß mich nicht fürder reut
   der Dienst in deinem Solde!
Da ich dich, Herrin, Schloß und Band
   für Herz und Sinne nenne,
so rate mir, denn es wird Zeit;
   mein Seelenheil ist dir geweiht,
   in deren Glut ich brenne.

Soll ich nun scheiden ohne Schuld,
   entbehren meiner Herrin Huld,
   der schlimmen Fahrt dann wehe,
die nach Apulien ich muß tun.
   Erbarmen, daß dein Auge nun
   so hart nicht auf mich sehe!
Besänftige den stolzen Sinn
   und sprich aus rotem Munde

zúo mir niht wan eht fünf wort,
    diu hoehent mîner fröuden hort:
    »var hin ze guoter stunde!«

»In guoter stunde sî dîn vart:
    dîn lîp dîn sêle sî bewart,
    dîn lop dîn heil dîn êre!
mac dich erwenden mîn gebot
    mîn vlê mîn dröu, daz weiz wol got,
    sô wil ich biten sêre.
sît daz dîn vart unwendic ist,
    zwei herze in arebeite,
daz mîn und dîn, du füerest hin:
    dâ von ich iemer trûric bin:
    nu sî Krist dîn geleite!«

UOLRICH VON LIEHTENSTEIN

Frohes Hoffen

In dem walde süeze doene
    singent kleiniu vogellîn.
an der heide bluomen schoene
    blüejent gegen des meien schîn.
álsô blüet mîn hôher muot
    mit gedanken gegen ir güete,
    diu mir rîchet mîn gemüete
    sam der troum den armen tuot.

Ez ist ein vil hôch gedinge
    den ich gegen ir tugenden trage,
daz mir noch an ir gelinge,
    daz ich saelde an ir bejage.
des gedingen bin ich frô.

fünf kleine Worte nur zu mir,
  erhöhe gnädig mein Panier:
  »Fahr hin zu guter Stunde!«

»Zu guter Stunde deine Fahrt!
  Es sei dir Leib und Seel' bewahrt,
  Lob dir und Heil und Ehre!
Hält dich zurück noch mein Gebot,
  mein Flehn, mein Drohn, das weiß wohl Gott,
  wie sehr ich es begehre.
Doch wenn die Fahrt unwendbar ist,
  so nimmst du in die Weite
zwei Herzen, mein und deines, hin,
  davon ich immer traurig bin:
  Krist sei nun dein Geleite!«

ULRICH VON LICHTENSTEIN

Frohes Hoffen

Vögel singen süße Töne
  laut im Laub waldaus, waldein.
Auf der Heide blühen schöne
  Blumen bunt im Maienschein.
Also blüht auch auf mein Mut,
  wenn er ihrer Güte denket,
  die mich überreich beschenket,
  wie der Traum dem Armen tut.

Ja, zu ihrem Adel trage
  überhohe Hoffnung ich,
daß ich sie zu lieben wage,
  wünschend, sie beglücke mich.
Dieser Hoffnung bin ich froh.

got geb daz ichz wol verende,
daz si mir den wân iht wende
der mich fröut sô rehte hô.

Sî vil süeze, valsches âne,
   frî vor allem wandel gar,
lâze mich in liebem wâne
   díe wîl ez niht baz envar.
daz diu fröude lange wer,
   daz ich wânes iht erwache,
   daz ich gegen dem trôste lache
   des ich von ir hulden ger.

Wünschen unde wol gedenken
   dést diu meiste fröude mîn.
des sol mir ir trôst niht wenken,
   sî enlâze mich ir sîn
mit den beiden nâhen bî,
   sô daz sî mit willen gunne
   mir von ir sô werder wunne
   dáz si saelic iemer sî.

Saelic meie, dû aleine
   troestest al die werelt gar.
dû und al diu werlt gemeine
   fröut mich min dann umbe ein hâr.
wie möht ir mir fröude geben
   âne die vil lieben guoten?
   von der sol ich trôstes muoten:
   wan ir trôstes muoz ich leben.

Gebe Gott, daß ich's vollende,
daß sie mir den Wahn nicht wende,
der entflammt mich lichterloh.

Frei vom Truge, die Vielsüße
gönne mir unwandelbar,
daß ich meinen Wahn nicht büße,
bis mein Wunschbild werde wahr,
daß die Freude lang mir frommt,
daß vom Wahn ich nicht erwache,
nein, dem Trost entgegenlache,
der von ihren Hulden kommt.

Wunsch wie inniges Gedenken
höchste Wonne mir beschert.
All mein Wollen soll sie lenken,
wenn sie sich nicht von mir kehrt.
Wenn sie nur, ihr nah zu sein,
mir in hoher Huld verstattet,
will ich froh und unermattet
stets mich ihrem Glücke weihn.

Maienlust, dein Trost alleine
selig all die Welt erfreut,
doch du freust auch im Vereine
mit der Welt mich keinen Deut.
Könntet ihr mir Freude geben
außer ihr, der Lieben, Guten?
Trost muß ich von ihr vermuten,
einzig ihres Trostes leben.

Der Ritter beim Ausritt

Eren gernde ritter, lât iuch schouwen
    under helme dienen werden frouwen.
welt ir die zît vertrîben
    ritterlîch,   êren rîch
    wert ir von guoten wîben.

Ir sült hôchgemuot sîn under schilde,
    wol gezogen, küene, blîde, milde.
tuot ritterschaft mit sinnen
    únd sît frô,   minnet hô:
    sô mügt ir lop gewinnen.

Denket an der werden wîbe grüezen,
    wie sich daz kan guoten friunden süezen.
swen frouwen munt wol grüezet,
    der ist gewert   swes er gert:
    sîn fröude ist im gesüezet.

Swer mit schilt sich decken wil vor schanden,
    der sol ez dem lîbe wol enplanden.
des schildes ampt gît êre.
    im ist bereit   werdekeit:
    si múoz aber kosten sêre.

Manlîch herze vindet man bî schilde:
    zaglîch muot muoz sîn dem schilde wilde.
gegen wîben valsch der blecket,
    swer in hât,   an der stat
    dâ man mit schilden decket.

Tuo her schilt: man sol mich hiute schouwen
    dienen mîner herzenlieben frouwen.
ich muoz ir minne erwerben
    únde ir gruoz,   oder ich muoz
    gar in ir dienst verderben.

Der Ritter beim Ausritt

Ehrbeflissne Ritter, laßt euch schauen
   unterm Helm zu dienen edlen Frauen.
Denn wer im Zeitvertreibe
   rittergleich,   ehrenreich
   wird er von gutem Weibe.

Ihr sollt hochgemut sein unterm Schilde,
   wohlgezogen, fröhlich, kühn und milde.
Übt Ritterschaft mit Sinnen!
   Minnt also   immer froh,
   dann mögt ihr Lob gewinnen.

Denket an der edlen Frauen Grüßen,
   euer Ritterleben zu versüßen.
Wen grüßt der Mund der Schönen,
   dem ist beschert,   was er begehrt,
   ihn köstlich zu verwöhnen.

Wer mit Schild sich will vor Schande decken,
   muß sich wacker und gewaltig recken.
Des Schildes Amt gibt Ehre.
   Ihm ist bereit   Würdigkeit:
   Schmerz ist der Preis, der hehre.

Herzen mannhaft findet man bei Schilde,
   zager Mut ist fremd der Rittergilde.
Trüger, die sich feige decken,
   deren Art   wird bald gewahrt,
   Schild kann nicht Schmach verstecken.

Her den Schild! Man soll mich heute schauen
   dienen meiner herzensliebden Frauen.
Ihre Huld muß ich erwerben,
   ihren Gruß,   oder muß
   in ihrem Dienst verderben.

Ich wil sî mit dienste bringen inne
   dáz ich sî baz dan mich selben minne.
ûf mir muoz sper erkrachen.
   nû tuo her   sperâ sper!
   des twinget mich ir lachen:
   daz kan si süeze machen.

»Der Frauen Tanz«

Disiu liet diu heizent frouwen tanz:
   diu sol niemen singen, ern sî frô.
swer mit zühten treit der fröuden kranz
   únd dem stât sîn muot von wîben hô,
dem erloube ich sî ze singen wol:
   blîdeclichen man si tanzen sol.

Trûren ist ze wâre niemen guot
   wan dem einen der sîn sünde klaget:
hôhen lop erwirbet hôher muot,
   guoten wîben hôchmuot wol behaget.
dâ von wil ich iemer mêre sîn
   hôchgemuot durch dich, guot frouwe mîn.

Fröude gibt mir dîn wol redender munt,
   hôhen muot dîn reine senfte sit.
fröuden tou mir ûz des herzen grunt
   kumt von dir in elliu mîniu lit.
got hat sînen flîz an dich geleit,
   dâ von dîn lîp êren krône treit.

Liehtiu ougen, dâ bî brûne brâ
   hâstu und zwei rôtiu wängelîn.
schoene bistu hie und schoene dâ.
   brûn rôt wîz, der drîer varwe schîn
treit dîn hôchgeborner schoener lîp.
   tugende hâstu vil, guot wîplîch wîp.

Dienen will ich, daß sie werde inne,
  wie ich mehr sie als mich selber minne.
Stahl muß auf mir zerkrachen!
  Her den Speer!   Wagt es wer?
  Dazu zwingt mich ihr Lachen,
  das weiß sie süß zu machen.

»Der Frauen Tanz«

Dieses Lied, es heißt »Der Frauen Tanz«.
  Niemand soll es singen, der nicht froh.
Wer mit Züchten trägt den Freudenkranz,
  hochgemut von Frauenhuld also:
dem erlaub ich es zu singen wohl,
  das man frei und fröhlich tanzen soll.

Trauern steht in Wahrheit niemand an
  als nur einem, der um Sünde klagt.
Hohes Lob erwirbt ein froher Mann,
  guten Frauen Frohmut wohlbehagt.
Darum will ich hohen Mutes sein
  nun und immer, gute Herrin mein.

Freude kündet mir dein Lächelmund,
  Frohmut deine Sitte, sanft und rein.
Tau der Freude sprüht aus Herzensgrund
  mir von dir in alle Glieder ein.
Gott hat seinen Fleiß an dich gelegt,
  daß dein Leib die Ehrenkrone trägt.

Lichte Augen, dunkle Augenbraun
  hast du, rote Wangen zart und fein.
Reizend bist du hier und da zu schaun.
  Braun, rot, weiß: der dreien Farben Schein
stellt dein edelschöner Leib zur Schau,
  vieler Frauentugend reiche Frau.

Daz du alsô manige tugende hâst,
   dâ von bin ich alles trûrens frî.
sô du alsô schoeniu vor mir gâst,
   sô ist mir álse ich in dem himel sî.
got sô schoenen engel nie gewan
   den ich für dich wolde sehen an.

BURKART VON HOHENVELS

Die Arme und die Reiche

»Ich wil reigen.«
   sprach ein wünniclîchiu maget.
»diesen meigen
   wart mir fröude gar versaget.
nu hât mîn jâr ein ende:
   des bin ich frô.
nieman mich fröuden wende,
   mîn muot stêt hô.
mir ist von strôwe ein schapel   und mîn frîer muot
lieber danne ein rôsenkranz,   sô ich bin behuot.«

»Lâz erbarmen
   dich«, sprach ir gespil zehant,
»dáz mich armen
   niht geschuof diu gotes hant,
wan sî geschuof mich rîchen.
   hî, waere ich arm!
sô wólte ich mit dir strîchen,
   ze fröuden varn.
mir ist von strôwe ein schapel   und mîn frîer muot
lieber danne ein rôsenkranz,   sô ich bin behuot.

Weil du also wert und würdig bist,
  bin ich auch von aller Trauer frei.
Wenn dein Gang vor mir so lieblich ist,
  dünkt es mich, daß ich im Himmel sei,
da Gott nicht so schönen Engel hat,
  den ich möchte sehn an deiner Statt.

BURKHARD VON HOHENFELS

Die Arme und die Reiche

»Ich will reien«,
  sagte eine hübsche Magd.
»Diesen Maien
  wurden Freuden mir versagt.
Mein Dienstjahr ist zu Ende:
  wie bin ich froh!
Niemals mein Glück sich wende,
  ich freu mich so.
Lieber Strohgewinde,   dazu freier Sinn,
als der Bräute Rosenkranz,   wenn in Hut ich bin.«

»Ach erbarme
  dich«, sprach ihr Gespiel zu ihr,
»daß als Arme
  Gott mich nicht erschuf gleich dir.
Reich ließ er mich entstammen.
  Hei, wär' ich arm!
Ich zög' mit dir zusammen
  ohne Harm.
Lieber Strohgewinde,   dazu freier Sinn,
als der Bräute Rosenkranz,   wenn in Hut ich bin.

Ez ist verdrozzen
   híe, sît daz mîn müemel hât
vor beslozzen
   mir die mîne liehten wât.
trûr ích, si giht ich gewinne
   von liebe nôt.
fröuw ích mich: ›daz tuot minne.‹
   wan waere si tôt!
mir ist von strôwe ein schapel   und mîn frîer muot
lieber danne ein rôsenkranz,   sô ich bin behuot.«

»Wiltu sorgen
   wáz sol dir dîn schoener lîp?
dú solt morgen
   sámt mir: trûren von dir trîp!
ich wil dich lêren snîden,
   wis fröuden vol!
tuot wê daz, wir sulnz mîden,
   uns wirt sus wol.
mir ist von strôwe ein schapel   und mîn frîer muot
lieber danne ein rôsenkranz,   sô ich bin behuot.«

»Ich hân schiere
   mír gedâht einen gerich:
wan ich zwiere,
   swâ man zwinket wider mich.
sie enlât mich niender lachen
   gen werdekeit:
sô nime ich einen swachen,
   daz ist ir leit.
mir ist von strôwe ein schapel   und mîn frîer muot
lieber danne ein rôsenkranz,   sô ich bin behuot.«

Ich bin verdrossen,
    daß die scheele Muhme mir
eingeschlossen
    alle meine Kleiderzier.
Klag ich, wähnt sie im Sinne
    mir Liebesnot,
lach ich, schilt sie die Minne.
    Wär' sie tot!
Lieber Strohgewinde,   dazu freier Sinn,
als der Bräute Rosenkranz,   wenn in Hut ich bin.«

»Wozu du sorgen,
    schön von Wuchs und Angesicht?
Folg mir morgen,
    und dein Trauern dauert nicht.
Ich lehr dich Kleider schneiden,
    lustig Blut!
Tut weh dir's, wollen's meiden.
    Frohgemut!
Lieber Strohgewinde,   dazu freier Sinn,
als der Bräute Rosenkranz,   wenn in Hut ich bin.«

»Eine Rache
    hab ich eben mir erdacht.
Wieder lache
    dem ich, der mir Augen macht.
Soll Edlem nicht erwidern
    Blick und Wort:
so scherz ich mit dem Niedern
    ihr zum Tort.
Lieber Strohgewinde,   dazu freier Sinn,
als der Bräute Rosenkranz,   wenn in Hut ich bin.«

Freude und Freiheit

Dô der luft mit sunnen viure
　　wart getempert und gemischet,
dar gap wazzer sîne stiure,
　　dâ wart erde ir lîp erfrischet.
durch ein tougenlîches smiegen
　　wart si fröuden frühte swanger.
daz tet luft, ich enwil niht triegen:
　　schouwent sélbe ûz ûf den anger.
　　　　fröude unde frîheit
　　　　ist der werlte für geleit.

Uns treip ûz der stuben hitze,
　　regen jagte uns în ze dache:
ein altiu riet úns mit witze
　　in die schiure nâch gemache.
sorgen wart dâ gar vergezzen,
　　trûren muose fürder strîchen:
fröude hâte leit besezzen,
　　dô der tanz begunde slîchen.
　　　　fröude unde frîheit
　　　　ist der werlte für geleit.

Diu vil süeze stadelwîse
　　kunde starken kumber krenken.
eben trâten si únde lîse,
　　mengelîch begunde denken
waz im aller liebest waere.
　　swer im selben daz geheizet,
dem wirt ringe sendiu swaere:
　　guot gedenken fröude reizet.
　　　　fröude unde frîheit
　　　　ist der werlte für geleit.

Heimlîch blicken, sendez kôsen
　　wart dâ von den megden klâren.

Freude und Freiheit

Da die Luft mit Sonnenfeuer
   ward getempert und gemischet,
gab das Wasser seine Steuer,
   Leib der Erde ward erfrischet.
Schmiegsam lag sie, sich zu fügen,
   und sie ward von Freuden schwanger.
Das tat Luft, ich will nicht trügen:
   schauet selbst hinaus zum Anger.
     Freude und die Freiheit
     liegen für die Welt bereit.

Uns trieb aus die Stubenhitze,
   Regen jagt' uns unter Dach.
Riet ein altes Weib mit Witze
   zu der Scheuer uns gemach.
Sorgen waren bald vergessen,
   um das Leid war es geschehn,
als, von lauter Lust besessen,
   sich der Tanz begann zu drehn.
     Freude und die Freiheit
     liegen für die Welt bereit.

Vor der süßen Stadelweise
   war der stärkste Gram nicht mächtig.
Schweigend tanzten sie und leise,
   und manch einer ward bedächtig,
welche ihm die Liebste wäre,
   seinen Wunsch auf sie zu lenken,
mildernd seine Sehnsuchtsschwere.
   Freude lockt ein Gutgedenken.
     Freude und die Freiheit
     liegen für die Welt bereit.

Wie die Mädchen da mit Augen
   und Geflüster züchtig waren,

zühteclich sie kunden lôsen,
  minneclich was ir gebâren.
hôher muot was dâ mit schalle
  nâch bescheidenheite lêre.
wunderschoene wâren si alle,
  doch diu schoenste was diu hêre.
    fröude unde frîheit
    ist der werlte für geleit.

Sûsâ wie diu werde glestet!
  si íst ein wunneberndez bilde,
sô si sich mit bluomen gestet:
  swer si siht, demst trûren wilde.
dés giht maneges herze und ougen.
  eín dinc mich ze fröuden lücket:
sie íst mir in mîn herze tougen
  stahelherteclich gedrücket.
    fröude unde frîheit
    ist der werlte für geleit.

Ruhe bei ihr

Mich müet daz sô maniger sprichet
  sô er mich múoz in jâmer schouwen:
»wér tet dir diz ungemach?
übel sî sich an dir richet,
  hâst du daz von dîner frouwen,
  der dîn munt ie zbeste sprach,
kan diu dîne fröude zern.
  nú hâst du doch mannes bilde:
  wíe'st dir mánnes muot sô wilde,
  maht du dich eins wîbes niht erwern?«

Wie möht ich mit der gestrîten
  diu so gar gewalteclîche
  sitzet ûf mîns herzen turn?

mochte zur Verführung taugen.
    Anmutvoll war ihr Gebaren.
Lachen klang hervor mit Schalle,
    ohne maßlos sich zu zeigen.
Wunderschön sie alle, alle!
    Doch die Schönste war mein eigen.
      Freude und die Freiheit
      liegen für die Welt bereit.

Eia, wie die Holde glänzet,
    ein Gebilde voller Wonnen!
Wer sie lieblich sieht bekränzet,
    dem ist Traurigkeit zerronnen.
Labsal beut sie jedem Herzen,
    mich jedoch zutiefst beglücket,
daß dem meinen ohne Schmerzen
    stahlhart sie sich eingedrücket.
      Freude und die Freiheit
      liegen für die Welt bereit.

Ruhe bei ihr

Mancher mir zum Leide saget,
    der mich muß mit Jammer schauen:
»Wer tat dir dies Ungemach?
Üble Rache, die sie waget!
    Hast du das von deiner Frauen,
    der dein Mund das Beste sprach,
daß sie Freude dir verzehre?
    Du bist doch als Mann geboren!
    Ging dir Mannesmut verloren?
    Eines Weibes Laune dich erwehre!«

Wie möcht' ich mit jener streiten,
    die mit zwingenden Gewalten
    sitzt auf meines Herzens Turm?

der ist veste an allen sîten,
   sô'st si schoene und êren rîche:
   wie gehebe ich einen sturm,
dáz ich sî getrîbe drabe?
   ebenhoehe, katzen, mangen
   mügen ir dâ niht erlangen.
   lâ sîn: selbe taete, selbe habe.

Sî ist ûf mînes herzen veste
   sô gewaltic küneginne
   dáz si es eine haben wil.
sî vertrîbet al die geste,
   die dar ladent mîne sinne
   ouch durch kurzewîle spil.
mit ir zuht sî füegen kan
   daz mîn muot sô gar veraffet,
   daz er anders niht erschaffet,
   wan daz er sî swîgend kapfet an.

Leite sî mich zeinem mâle
   heim zuo zir gedanke fiure,
   sît si mîner fröuden pfliget,
solte ich dâ bî ír tuon twâle,
   von der wunnebernden stiure
   hete ich sorgen an gesiget.
kaeme ich in ir herzen kamer,
   ob sie daz mit willen lieze,
   dâ wont ich, daz mich verstieze
   niemer wankes zange noch sîn hamer.

Ich kan wunder an der snüere,
   ich kan fliegen unde fliezen,
   ich kan alle ritterschaft,
eigenlîchen steine ich rüere,
   ich kan jagen, birsen, schiezen,
   ich hân wîsheit unde kraft.

Fest ist er von allen Seiten,
  Schönheit, Ehre Wache halten.
  Wie erheb ich einen Sturm,
daß ich sie herunter hole?
  Der Belagerungsmaschinen
  Kunst vermag da nicht zu dienen:
  Selbstgetan, die einzige Parole.

Sie ist meiner Herzensfeste
  eine Herrin ohne Gnaden,
  und sie will es sein allein.
Sie vertreibt mir alle Gäste,
  die da meine Sinne laden
  mir zu Spiel und Kurzweil ein.
Strenge hält sie mich in Bann,
  daß mein Mut mir muß veraffen
  und nichts andres läßt mich schaffen,
  als sie schweigend nur zu starren an.

Ließe sie den Platz mich teilen
  bei dem Herdbrand ihres Denkens,
  die mir so im Herzen liegt,
dürfte dort ich bei ihr weilen!
  Durch die Wonne solchen Schenkens
  würde all mein Gram besiegt.
Wenn in ihre Herzenskammer
  sie mich ein gefügig ließe,
  niemals mich von dort verstieße
  eines Wankes Zange oder Hammer.

Ich kann auf dem Seile tanzen,
  ich kann schwimmen, Volte schlagen,
  üben alle Ritterschaft.
Wie ein Fröner kann ich schanzen,
  ich kann schießen, pirschen, jagen,
  bin gewitzt und voller Kraft.

    diz gît wilde gedanken mir.
      sô mîn muot als umbe swinget
      únde in müede gar betwinget,
      wil er ruowen, sô muoz èr hin z'ir.

GOTFRIT VON NIFEN

Bitte um Trost

Ich hoer aber die vogel singen,
    in dem walde suoze erklingen,
      dringen /   siht man bluomen durch daz gras.
was /   diu sumerwunne in leide,
    nú hât aber diu liebe heide
      beide /   bluomen unde rôsen rôt.
meie kumt mit maniger bluot.
    tuot /   mir wol diu minneclîche,
    seht, sô wirde ich fröuderîche,
      sunder nôt /   vil máneger sorgen frî.

Gunde mir diu saeldebaere
    daz ir trôst mir fröude baere
      swaere /   wolde ich sender siecher lân.
hân /   ich trôst, der ist doch kleine,
    sie entroeste mich aleine.
      reine /   saelic wîp, nu troestet baz.
Minne, hilf: ez ist án der zît.
    sît /   mîn trôst lît an der süezen,
    sô mac sie mir swaere büezen.
      nú durch waz /   tuot síe mir alse wê?

Obe ir rôter munt mir gunde
    daz sîn kus die nôt enbunde,
      wunde /   von der minne wurde heil.

Kühnen Mut verleiht es mir.
  Wenn er toll mich umgeschwungen,
  und, von Müdigkeit bezwungen,
  ruhen will, so muß er hin zu ihr.

GOTTFRIED VON NEIFEN

Bitte um Trost

Wieder hör ich Vogelsingen
  in dem Walde süß erklingen.
  Dringen / sieht man Blumen durch das Gras.
Was / auch Sommerlust im Leide
  war, nun beut aufs neu die Heide
  beide: / Anemonen, Rosen rot.
Mai, er kommt mit Blumengut.
  Tut / mir wohl, die reich an Minne,
  seht, so wird mir froh zu Sinne,
  sonder Not / und voller Sorgen nie.

Wenn die Selige gedächte,
  daß ihr Trost mir Freude brächte,
  möchte / allem Leid ich sagen ab.
Hab / ich Trost, ist er nur kleine,
  mich getröstet denn die Feine,
  Reine, / Selige, so tröste mehr!
Minne, hilf zu rechter Zeit!
  Seit / mein Trost kommt von der Süßen,
  kann sie meine Leiden büßen.
  Ach woher / nur tut sie mir so weh?

Wenn ihr roter Mund es wollte,
  daß ihr Kuß mir Labung zollte,
  sollte / ich von Minne werden heil.

heil /   gelücke saelde und êre
    hete ich sender iemer mêre.
    hêre /   saelic wîp, nu troestet baz.
ówê, süezer rôter munt,
    wunt /   wart ich von dînen schulden,
    dô ich der lieben muoste hulden.
    leit sint daz /   diu mich noch machent grâ.

Wunder kanst dû, süeziu Minne.
    Minne, in dîner glüete ich brinne,
    sinne /   herze muot hâst dú mir hin.
in /   mîn herze sunder lougen
    sach ein wîp mit spilnden ougen
    tougen. /   dannoch was gemeit mîn lîp.
herzen trût, nu tuot sô wol:
    sol /   ich sender frô belîben,
    sô sult ir von mir vertrîben,
    saelic wîp, /   die nôt, sô wirde ich frô.

Wie zimt nû der süezen hêren
    dáz sie mich kan trûren lêren?
    mêren /   möhte sie wol fröude mir.
ir /   vil minneclîchez lachen
    kan mir sendez trûren swachen.
    machen /   möhte sie mich sorgen bar.
ówê süezer rôter munt!
    wunt /   bin ich an hôchgemüete.
    rôter munt, durch dîne güete
    nú sprich dar: /   mîn béte wol weistû.

Teil / hätt' ich an Glück und Ehre,
　wäre mein, die ich entbehre.
　Hehre, / selige Frau, so tröste mehr!
O du süßer, roter Mund,
　wund / ward ich durch dein Verschulden,
　da ich Sehnsucht muß erdulden.
　Grau und schwer / bedrückt mein Gram mich da.

Wunder kennst du, süße Minne.
　Deine Glut brennt meine Sinne.
　Minne, / meinen Mut nahmst du dahin.
In / mein Herz warf mir die Eine
　ihrer Augen Spiegelscheine.
　Meine / Hoffnung wallte freudig hoch.
Herzenstraute, tu mir wohl:
　soll / ich fürder fröhlich bleiben,
　mußt du mir die Not vertreiben.
　Holde, noch / werd ich dann wahrhaft froh.

Wie geziemt der Süßen, Hehren,
　daß sie mich mag Trauer lehren?
　Mehren / sollte sie die Freude mir.
Ihr / so minnigliches Lachen
　kann mein Sorgen machtlos machen,
　fachen / könnte sie den Mut mir neu.
O du süßer, roter Mund!
　Wund / bin tief ich im Gemüte.
　Roter Mund, durch deine Güte
　sprich getreu! / All mein Gebet bist du.

UOLRICH VON WINTERSTETTEN

Macht der Lieder

»Ist iht mêre schoenes«,
    sprach ein altez wîp,
    »dann des der schenke singet?
    dâst ein wunder grôz.
we mir dis gedoenes
    daz mir durch den lîp
    und durch diu ôren dringet:
    des mich ie verdrôz.
wan si gelfent sînen sanc tac unde naht
    in dirre gazzen,
únde ist ér doch hübschem sange niht geslaht:
    man sol in hazzen.«
        daz erhôrte ich sâ:
        ›alter hiute wagen, des bist dú sô grâ!‹

»Hoerâ«, sprach diu junge,
    »wés bist im gehaz?
    durch got mich des bescheide,
    liebez müeterlîn.
óber iht gúotes sunge,
    wén beswaeret daz?
    jâ tuot er nieman leide:
    er muoz froelich sîn.«
»dâ wolt ér dich vernent mir genomen hân
    an mînem bette.
kumt der übel tiuvel her, ich wil dich lân,
    ê deich dich rette.«
        daz erhôrte ich sâ:
        ›alter hiute wagen, des bist dú sô grâ!‹

»Liebiu muoter schoene«,
    sprach daz megetîn,

SCHENK ULRICH VON WINTERSTETTEN

Macht der Lieder

»Gibt's denn sonst nichts Schönes«,
  sprach ein altes Weib,
  »als was der Schenke singet?
  Ist ein Wunder groß!
Weh mir des Getönes,
  das mir durch den Leib
  und durch die Ohren dringet
  und mich stets verdroß.
Seine Lieder schrein sie ja bei Tag und Nacht
  in allen Gassen,
und ist doch sein Sang so roh und ungeschlacht!
  Man muß ihn hassen.«
    Ich verstand genau:
    ›Darum, altes Bockfell, bist du mir so grau!‹

»Höre!« sprach die Junge,
  »Wozu denn dein Haß?
  Um Gott mich des bescheide,
  bestes Mütterlein!
Ist ihm plump die Zunge,
  wen beschwerte das?
  Tut niemand was zuleide,
  laß ihn lustig sein.«
»Kam er nicht zu holen dich vor einem Jahr
  von meinem Bette?
Kommt der üble Teufel, geb ich dich fürwahr,
  eh' ich dich rette.«
    Ich verstand genau:
    ›Darum, altes Bockfell, bist du mir so grau!‹

»Liebe Mutter, höre!«
  sprach das Töchterlein,

»du sólt dich baz bedenken,
  érst unschuldic dran.
niht sô rehte hoene,
  liebe, lâz ez sîn.
  du zürnest an den schenken
  der dâ singen kan.
ûf mîn triuwe, ez was im ûz der mâze leit:
  ez tet sîn bruoder.«
diu álte sprach: »ir keiner hât bescheidenheit,
  und waere ein fuoder.«
    daz erhôrte ich sâ:
    ›alter hiute wagen, des bist dú sô grâ!‹

»Dú gestant den liuten
  umbe ir tôrheit bî«,
  sô sprach der megde muoter,
  »dú bist missevarn.
wáz sol ez betiuten?
  dú bist alze frî.
  du minnest niemen guoter,
  vil unsaelic barn.
waenest, dir der schenke gebe sînen sanc
  den er dâ singet?
dú bist niht diu schoenste diu in ie betwanc
  ald noch betwinget.«
    daz erhôrte ich sâ:
    ›alter hiute wagen, des bist dú sô grâ!‹

Sî begunde singen
  hovelich ein liet
  ûz rôserôtem munde,
  diu vil stolze maget.
sî lie suoze erklingen,
  daz von sorgen schiet,
  ein liet daz sî wol kunde:
  sî was unverzaget.

»wolltest du's bedenken,
  er ist schuldlos dran.
Vorschnell nichts verschwöre,
  Liebe, laß es sein!
Du schmähst damit den Schenken,
  der schön singen kann.
Meiner Treu, es war ihm über Maßen leid:
  es tat sein Bruder.«
Die Alte sprach: »Ist keiner voll Verständigkeit,
  gäb' ihr's ein Fuder.«
    Ich verstand genau:
    ›Darum, altes Bockfell, bist du mir so grau!‹

»Stehst du noch den Leuten
  in der Torheit bei?«
So sprach des Mädchens Mutter,
  »wie bist du gar blind!
Was soll das bedeuten?
  Du bist allzu frei,
  und dir gefällt kein Guter.
  Ach, unselig Kind!
Glaubst du, dir nur gelte dieses Schenken Sang,
  den er da singet?
Du bist nicht die Schönste, die ihn je bezwang
  und noch bezwinget.«
    Ich verstand genau:
    ›Darum, altes Bockfell, bist du mir so grau!‹

Da hub an zu singen
  hell ein Ritterlied
aus rosenrotem Munde
  die so stolze Magd.
Ließ es süß erklingen,
  das vom Leid sie schied;
  recht aus dem Herzensgrunde
  sang sie unverzagt.

»ówê«, sprach diu muoter, »wes hast dú gedâht?
  du wilt von hinnen.
schenken lieder hânt dich ûz den sinnen brâht:
  du wilt entrinnen.«
      sî sprach: »muoter, jâ!
      ich wil in die érne óder anderswâ!«

Dienst ohne Lohn

Sumer wil uns aber bringen
  grüenen walt und vogel singen,
  anger hât an bluomen kleit.
berc und tal in allen landen
  sint erlôst ûz winters banden,
  heide rôte rôsen treit.
sich fröut al diu werlt gemeine,
  nieman trûret wan ich eine,
  sît mir diu vil süeze reine
  frümt sô manic herzeleit.
swer vil dienet âne lôn
mit gesange, / tuot erz lange
der verliuset manigen dôn.

Ich wil al den liuten künden,
  daz si lebt mit grôzen sünden
  der ich ie was undertân,
die si hât an mir verschuldet,
  sît mîn herze kumber duldet:
  dés wil sî sich niht entstân.
wie mac sî die sünde büezen?
  mir wart nie ein lieplich grüezen;
  dâ von wir uns scheiden müezen:
  ich wil urloup von ir hân.
swer wil dienen âne lôn

»Jammer!« rief die Mutter, »was hast du gedacht?
　　Willst mir von hinnen?
Schenkenlieder haben närrisch dich gemacht:
　　du willst entrinnen!«
　　　»So steht mir der Sinn«,
　　　lacht' sie, »in die Ernte oder sonstwohin!«

Dienst ohne Lohn

Sommer will uns wieder bringen
　　Wäldergrün und Vogelsingen,
　　Blumen auf dem Anger blühn.
Berg und Tal in allen Landen
　　sind erlöst von Winterbanden,
　　rote Heiderosen glühn.
Alles freut sich im Vereine,
　　niemand klagt als ich alleine,
　　denn die Hochgepriesne, Reine
　　legt mir auf viel Herzensmühn.
Wer da dienet ohne Lohn
mit Gesange, / 　tut er's lange,
büßt er ein wohl manchen Ton.

Ich will allen Leuten künden,
　　wie sie lebt in großen Sünden,
　　die mich stets doch treu gesehn.
Viel hat sie an mir verschuldet,
　　da mein Herz nur Kummer duldet,
　　und sie will es nicht verstehn.
Wie mag sie die Sünde büßen?
　　Nie ward mir ein holdes Grüßen,
　　so daß wir uns scheiden müssen.
　　Lasse sie darum mich gehn.
Wer da dienet ohne Lohn

mit gesange, /   tuot erz lange,
der verliuset manigen dôn.

Frouwe, diu mir vor in allen
    wîlent muoste wol gevallen,
    noch vernemt ein liedelîn:
ir sît âne lougen schoene,
    doch ist schoene dicke hoene,
    daz ist leider an iu schîn.
nú wil ich mîn singen kêren
    an ein wîp diu tugende lêren
    kan und alle fröude mêren:
    seht, der diener wil ich sîn.
swer vil dienet âne lôn
mit gesange, /   tuot erz lange,
der verliuset manigen dôn.

Werdiu Minne, ich wil dich strâfen,
    dú bist gegen mir harte entslâfen,
    sît ich strûchte in dîniu bant.
ich bin mîner wîse ein tôre:
    mîn sanc gât dir für dîn ôre,
    dîner helfe ich nie bevant.
hilf, ich bin mit spilnden ougen
    wunt inz herze sunder lougen.
    dáz tet mir ein wîp sô tougen,
    án der ist wol dienst bewant.
swer vil dienet âne lôn
mit gesange, /   tuot erz lange,
der verliuset manigen dôn.

Minne, heile mîne wunden,
    diu mir in vil kurzen stunden
    von der strâle dîn geschach.
mich hât ob zwein liehten wangen
    sêre ir ougen blic gevangen.

mit Gesange, /   tut er's lange,
büßt er ein wohl manchen Ton.

Herrin, die Ihr mir vor allen
    übermaßen wohlgefallen,
    hört ein kleines Lied noch an.
Sicher zählt Ihr zu den Schönen,
    doch die spröden Schönen höhnen
    voller Hoffart. – Schlimm getan!
Jetzt will ich mein Singen kehren
    einer zu, die Tugend lehren,
    die mag Freud um Freude mehren,
    der ich freudig dienen kann.
Wer da dienet ohne Lohn
mit Gesange, /   tut er's lange,
büßt er ein wohl manchen Ton.

Muß dich, teure Minne, strafen,
    die du ganz für mich entschlafen,
    seit mich deine Fessel band.
Machst den Sänger dir zum Toren:
    Zwar mein Sang kommt dir zu Ohren,
    ohne daß ich Hilfe fand.
Hilf! Durch Augenspiel versehrte
    mir das Herz die Einzigwerte,
    die ich lobte, die ich ehrte,
    der ich diente unverwandt.
Wer da dienet ohne Lohn
mit Gesange, /   tut er's lange,
büßt er ein wohl manchen Ton.

Minne, heile meine Wunde,
    die in flüchtiger Sekunde
    wie durch Blitzstrahl mir geschah.
Mich hat über lichten Wangen
    ihrer Augen Glanz gefangen,

ach waz ich dar under sach:
einen munt von roete brinnen!
    daz betwanc mich in den sinnen
    daz ich sî muoz iemer minnen:
    ír blic mir durchz herze brach.
swer vil dienet lange zît,
ist sîn frouwe /   in tugende schouwe,
wizzet daz si lôn im gît.

DER TANHUSER

Der Winter ist zergangen

Ein Leich

Der winter ist zergangen,
    daz prüeve ich ûf der heide:
aldar kam ich gegangen,
    guot wart mîn ougenweide.

Vón den bluomen wol getân
    wer sach ie sô schoenen plân?
der brách ich zeinem kranze.
    dén truoc ich mit tschoie zuo den frouwen an dem tanze:
    well íeman werden hôchgemuot, der hebe sich ûf die
                                                      schanze!

Dâ stêt vîol unde klê
    sumerlaten gamandrê.
die werden zîtelôsen,
    ôstergloien vant ich dâ, die liljen und die rôsen:
    dô wúnschte ích daz ich sant mîner frouwen solde kôsen.

Sí gap mir an ir den prîs
    dáz ich waere ir dulz amîs

unter deren Bann ich sah
einen Mund in Röte brennen!
Liebe lehrte mich erkennen:
nie kann ich mich von ihr trennen!
Minne, o es geht mir nah.
Wer da dienet lange Zeit,
ist die Seine / tugendreine,
wißt, daß sie ihm Lohn verleiht.

DER TANNHÄUSER

Der Winter ist zergangen

Ein Leich

Der Winter ist zergangen,
  das merk ich auf der Heide,
allwo ich hingegangen.
  O gute Augenweide!

Wer sah je so schönen Plan
  voller Blumen wohlgetan?
Ich pflückte sie zum Kranze.
  Mit *joie* trug ich ihn dann zu den Frauen hin beim Tanze.
  Will einer werden frohgemut, der heb sich auf die Schanze!

Frische Sprossen blühen da,
  Veilchen, Klee, Veronika
und güldene Zeitlosen.
  Osterglocken band ich ein und Lilien, Heckenrosen.
  Ich wünschte mir, ich könnte dort mit meiner Liebsten
                                    kosen.

Ihren Preis verlieh mir sie,
  daß ich wär' ihr *doux ami*

mit dienste disen meien:
  durch sî sô wil ich reien.

Ein fôres stuont dâ nâhen,
  aldar begunde ich gâhen.
dâ hôrte ich mich empfâhen
  die vogel alsô suoze:
  sô wol dem selben gruoze.

Ich hôrte dâ wol tschantieren,
  die nahtegal toubieren.
aldâ muoste ich parlieren
  ze rehte, wie mir waere:
  ich was ân alle swaere.

Ein riviere ich dâ gesach:
  durch den fôres gienc ein bach.
ze tal über ein planiure,
  ich sleich ir nâch, unz ich si vant, die schoenen creâtiure:
  bî dém fontâne saz diu klâre, süeze von faitiure.

Ir ougen lieht und wol gestalt,
  si was an sprüchen niht ze balt,
  man mehte sî wol lîden.
ir munt ist rôt, ir kele ist blanc,
  ir hâr reitval, ze mâze lanc,
  gevar alsam die sîden.
  sólde ich vor ir ligen tôt, ich enmehte ir niht vermîden.

Blanc alsam ein hermelîn
  wâren ir diu ermelîn.
ir persône diu was smal,
  wól geschaffen überal.

Ein lützel grande was si dâ,
  wól geschaffen anderswâ.

beim Dienste dieses Maien,
  mit ihr nur will ich reien.

Zum nahen Forst gegangen
  bin ich da voll Verlangen
und hörte mich empfangen
  die Vögel rings, die süßen.
  Gesegnet sei ihr Grüßen!

Ich hörte sie chantieren,
  die Nachtigall psalmieren.
Dort mußte ich parlieren,
  wie mir zumute wäre:
  o sonder alle Schwere!

Eine *rivière* ich fand,
  durch den Forst des Baches Band
talab durch die *planure*.
  Ich ging ihr nach, bis ich sie sah, die schöne *créature*:
  bei der Fontaine saß die Schmucke, Süße von *faiture*.

Mit ihren Augen spiegelhell
  war sie beim Sprechen nicht zu schnell,
  man mochte wohl sie leiden.
Ihr Mund ist rot, die Kehle blank,
  die blond gekrausten Haare lang
  und schimmernd wie von Seiden.
  Sollt ich vor ihr auch liegen tot, ich möcht' es nicht vermeiden.

Schneeig wie ein Hermelin
  ihrer Arme Scharm erschien.
Ihr gerader Wuchs war schmal,
  wohlgeschaffen überall.

Etwas kräftig war sie ja,
  hübsch und mollig, was man sah.

an ir ist niht vergezzen:
   lindiu diehel, slehtiu bein, ir füeze wol gemezzen.
   schoener forme ich nie gesach, diu mîn cor hât besezzen.
an ir ist elliu volle:
   dô ích die werden êrest sach, dô huop sich mîn parolle.

Ich wart frô / únd sprach dô:
   »frouwe mîn, / ich bin dîn, / du bist mîn:
   der strît der müeze iemer sîn!
du bíst mir vor in allen:
   iemer an dem herzen mîn muost dú mir wol gevallen.
   swâ man frouwen prüeven sol, dâ muoz ich für dich schallen.
an hübsche und ouch an güete
   dú gîst aller contrâte mit tschoie ein hôchgemüete.«

Ich sprach der minneclîchen zuo:
   »got und anders nieman tuo
der dich behüeten müeze!«
   ir párol der was süeze.

Sâ neic ich der schoenen dô.
   ich wart an mînem lîbe frô
dâ vón ir saluieren.
   si bât mich ir tschantieren
von der linden esten
   und von des meien glesten.

Dâ diu tavelrunde was,
   dâ wir dô schône waren,
daz was loup, dar under gras:
   si kunde wol gebâren.

Dâ wás niht massenîe mê
   wan wír zwei dort in einem klê.
si leiste daz si solde,
   und tet daz ich dâ wolde.

An ihr ist nichts vergessen:
  Schenkel, Waden wohlgestalt, die Füße zier bemessen.
  Schöner hat an Form noch keine Frau mein *coeur* besessen.
An ihr ist alles Fülle.
  Gleich drängte mich's, da ich sie sah, daß ich mich ihr enthülle.

Ich ward froh / und sprach so:
  »Fraue mein, / ich bin dein, / du bist mein,
  der Wettstreit möge immer sein!
Dich liebe ich vor allen.
  Immer meinem Herzen sollst du einzig wohlgefallen.
  Wo man Frauen schätzen hört, soll dir mein Lob erschallen,
was Anstand heißt und Güte.
  Jegliches Revier, es steht entzückt durch dich in Blüte.«

Ich flüsterte der Süßen zu:
  »Daß dich Gott, du Liebe du,
  immerdar behüte!«
  Wie dankte sie voll Güte!

Der Schönen neigte ich mich so
  und ward in meinem Herzen froh,
da sie mich tat salvieren.
  Sie bat mich, zu chantieren
  von den Lindenriegen,
  die sich im Maiglast wiegen.

Wo unsre Tafelrunde saß
  und wir gesellig waren,
oben Laub und unten Gras,
  wie hold war ihr Gebaren!

Da war keine Massenei
  als im Klee allein wir zwei.
Sie wußte, was sie sollte,
  und tat mir, was ich wollte.

Ich tet ir vil sanfte wê.
   ich wünsche daz ez noch ergê.
ir zimet wol daz lachen:
   dô begunden wir dô beide ein gemellîchez machen:
   dáz geschach von liebe und ouch von wunderlîchen sachen

Vón amûre seite ich ir,
   daz vergalt si dulze mir.
si jach, si lite ez gerne,
   daz ich ir taete, als man den frouwen tuot dort in **Palerne.**

Daz dâ geschach, dâ denke ich an:
   si wart mîn trût und ich ir man,
   wol mich der âventiure!
erst iemer saelic der si siht,
   sît daz man ir des besten giht:
   si íst alsô gehiure:
   elliu granze dâ geschach von uns ûf der planiure.

Ist iemen dem gelinge baz,
   daz lâze ich iemer âne haz.
si was sô hôhes muotes
   daz ich vergaz der sinne.
got lône ir alles guotes!
   sô twinget mich ir minne.

Wáz ist daz, daz sî mir tuot?
   allez guot, / hôhen muot
habe ich von ir iemer:
   ichn vergizze ir niemer!

Wól ûf, wol ûf Adelheit!
   dú solt sant mir sîn gemeit.
wól ûf, wol ûf Irmengart!
   dú muost aber an die vart.

Ich tat ihr gar sänftlich weh,
  ach, daß es wieder so ergeh!
Wohl stand ihr an ihr Lachen.
  So begannen wir beide ein vergnügtes Spiel zu machen
  mit verliebten Scherzen und gar wunderlichen Sachen.

Von *amure* sagt' ich ihr,
  das vergalt sie *dulce* mir.
Sie sprach, sie litte gerne,
  daß ich ihr täte, wie man tut den Frauen in Palerne.

Wie das geschah, ich denke dran:
  sie ward mein Weib und ich ihr Mann.
  Wohl mir der Aventüre!
Stets ist beseligt, wer sie sieht,
  kein Lob rühmt sie im Landgebiet,
  daß ihr nicht mehr gebühre.
  Nichts, o nichts versagte sie mir dort auf der *planure*!

Gelinge einem besser das,
  ich hege ihm drum keinen Haß.
Sie war so hohen Mutes,
  daß ich verlor die Sinne.
Gott gebe ihr nur Gutes!
  So dank ich ihrer Minne.

Was sie mir auch Liebes tut,
  das ist gut. / Hohen Mut
hab ich von ihr immer.
  Ich vergeß sie nimmer.

Munter, munter, Adelheid,
  teile meine Fröhlichkeit!
Munter, munter, Irmengard,
  tanz mit mir auf neuer Fahrt!

Diu niht enspringt, diu treit ein kint:
  sich fröunt gemeine die der sint.

Dort hoere ich die flöuten wegen,
  híe hoere ích den sumber regen.
der uns helfe singen,
  disen reien springen,
dem müeze wol gelingen
  zallen sînen dingen!

Wâ sint nu diu jungen kint,
  daz si bî uns niht ensint?

Sô saelic sî mîn Künigunt!
  solt ich si küssen tûsentstunt
  an ir vil rôsevarwen munt,
  sô waere ich iemer mê gesunt,
  diu mir daz herze hât verwunt
  vaste unz ûf der minne grunt.

Der ist enzwei. / heiâ nu hei!

Des videlaeres seite
  der ist enzwei!

Die nicht mitspringt, die trägt ein Kind.
  Kommt alle, daß wir lustig sind!

Dort hör ich die Flöte schallen,
  hier hör ich die Trommel hallen.
Wer uns hilft, zu singen
  und den Reien springen,
dem mag es wohl gelingen
  in allen seinen Dingen!

Wo mir nur die Mädchen sind!
  Tummelt, tummelt euch geschwind!

Sei du gegrüßt mir, Kunigund!
  Könnt' ich sie küssen tausendstund
  auf ihren rosenfarbnen Mund,
  so wär' ich immerfort gesund.
  Mir ist das Herze von ihr wund
  bis auf der Minne tiefsten Grund.

Er ist entzwei. / Heia juchhei!

Des Fiedlers Saite
  sprang entzwei!

V. Späte Klänge

Ganze Freude

Tou mit vollen   aber triufet
  ûf die rôsen   âne tuft,
ûzer bollen   schône sliufet
  manger lôsen   blüete kluft.
dárîn senket   sich diu vogellîn,
  diu gedoene   lûte erklenket,
  daz vil schoene   kan gesîn.

Bî der wunne   wol mit êren
  sol sich kleiden   mannes lîp,
daz im künne   fröude mêren
  ein bescheiden   saelic wîp.
swér verschulden   wîbes minne sol,
  der muoz ringen   nâch ir hulden
  mit vil dingen   tugende vol.

Swer mit sinne   valsch kan üeben
  als ein dieplich   nâchgebûr,
der wil minne   sô betrüeben,
  daz ir lieplich   lôn wirt sûr:
man sol zwischen   minne mit genuht
  triuwe in glanzer   staete mischen:
  dáz birt ganzer   fröuden fruht.

KONRAD VON WÜRZBURG

Ganze Freude

Tau in Fülle   tropft mit Sprühen
  auf die Rosen   morgenmild.
Aus der Hülle   schlüpft im Frühen
  mancher losen   Blüte Bild.
Niederschwingen   kleine Vögel sacht,
  Immentöne   summend singen,
  da die schöne   Welt erwacht.

So erscheine   auch mit Ehre
  wohlgeschmückt des   Mannes Leib,
daß ihm seine   Freude mehre
  ein beglücktes   kluges Weib.
Wer erstreben   Weibes Minne will,
  der muß ringen   mit dem Leben,
  mit den Dingen   ernst und still.

Wer im Sinne   Falsch kann üben
  als ein schlauer   Nachbarsmann,
mag die Minne   so betrüben,
  daß sie sauer   lohnt fortan.
Man soll zwischen   Liebesharmonie
  steter Treue   Leuchten mischen.
  Stets bringt neue   Freude sie.

Herbstliches Trauern

Jârlanc wil diu linde   von winde   sich velwen,
   diu sich vor dem walde   ze balde   kan selwen.
trûren ûf der heide   mit leide   man üebet:
   sús hât mir diu minne   die sinne   betrüebet.

Mich hânt sende wunden   gebunden   ze sorgen:
   diu muoz ich von schulden   nu dulden   verborgen.
díu mit spilnden ougen   vil tougen   mich sêret,
   díu hât mîn leit niuwe   mit riuwe   gemêret.

Gnâde, frouwe, reine!   du meine   mich armen!
   lâ dich mînen smerzen   von herzen   erbarmen!
mîn gemüete enbinde   geswinde   von leide!
   ûz der minne fiure   dîn stiure   mich scheide!

DER WILDE ALEXANDER

Minneleid

Ach ôwê, daz nâch liebe ergât
   ein leit als ich daz trîbe!
daz wil diu Minne und ist ir rât
   daz ich dâ von sô schrîbe.
sî sprach selbe wider mich:
   »schrîp ein leit vor allem leide,
   swâ sich liep von liebe scheide
   trûric und unendelich.«

Zwâr mîner vrouwen unde mir
   mac ich daz leit wol schrîben.
si lebet mir und ich leb ir.
   sus künnen wir vertrîben

Herbstliches Trauern

Jetzt will sich die Linde   vom Winde   verfärben,
  um dort vor dem Walde   gar balde   zu sterben.
Wie Trauren der Heide   im Leide   sich übet,
  so hat mir die Minne   die Sinne   betrübet.

Mich haben Herzwunden   gebunden,   zu sorgen:
  die muß ich mit Schulden   nun dulden   verborgen.
Ihr Blick, der mich sprühend   und glühend   versehret,
  hat Leid mir aufs neue   mit Reue   gemehret.

In Gnaden, du Reine   erscheine   mir Armen!
  Laß dich meiner Schmerzen   von Herzen   erbarmen!
Den Geist mir entbinde   geschwinde   vom Leide!
  Vom Feuer der Minne   die Sinne   mir scheide!

DER WILDE ALEXANDER

Minneleid

Weh mir, warum nur war ich froh,
  im Leid nun zu verbleiben!
Es ist der Minne Rat also,
  ich muß es niederschreiben.
Sie ermahnte selber mich:
  »Schreibe Leid vor allem Leide,
  wie sich Lieb von Liebe scheide
  voller Trauer ewiglich.«

Ach, meiner lieben Frau und mir
  mag ich von Leid wohl schreiben.
Sie lebt für mich, ich lebe ihr,
  und müssen doch vertreiben

doch mit jâmer unser tage:
   Minne wil und kan gebieten
   daz wir uns durch sî genieten
   kurzer fröude und langer klage.

Dô mir frou Minne ir stiure bôt,
   ach waeren wir dô beide
mit sament in den vröuden tôt,
   wan daz wir sus mit leide
vón einander müesen wesen.
   schône, frouwe Minne, schône,
   tobe niht mit solhem lône,
   lâ mich sterben, sî genesen!

Nu toete mich und lâ si leben!
   »nein, ích enwil«, sprach Minne.
»mînen schíltgeverten wil ich geben
   verluste mit gewinne:
dâ stêt an dem brieve mîn
   daz ich Minne niht enhieze,
   ob ich unversêret lieze
   zwei diu von einander sîn.«

Mir waere ein jâr alsam ein tac
   swen ich bî liebe waere.
ei, dáz waer mîner sorgen slac
   bî sô schimpflîchem maere
beide still und offenbâr.
   sus sô muoz ich dicke trûren
   bî vrôlîchen nâchgebûren.
   dés ist mir ein tac ein jâr.

nur mit Jammer unsre Tage.
  Minne hat es uns geheißen,
  daß wir sollten uns befleißen
  kurzer Freud und langer Klage.

Da Minne mir noch Stütze bot,
  was blieben wir nicht beide
in Freuden miteinander tot,
  statt daß getrennt mit Leide
für den Tod wir auserlesen!
  Schone, Herrin Minne, schone,
  walte nicht mit solchem Lohne,
  mich laß sterben, sie genesen!

O töte mich und laß sie leben!
  »Mitnichten!« sprach die Minne.
»Dem Schildgefährten will ich geben
  Einbuße mit Gewinne.
Also steht in meinem Brief,
  daß ich nicht die Minne hieße,
  so ich ohne Wunden ließe
  zwei, die sich verbunden tief.«

Ein Jahr erschiene wie ein Tag,
  wenn ich bei meiner wäre.
Hin wär' mein Leid mit einem Schlag
  von so beglückter Märe,
beides: still und offenbar.
  So verzehr ich mich in Schmerzen,
  wenn um mich die Nachbarn scherzen,
  und mein Tag ist mir ein Jahr.

STEINMAR

Schau um dich!

Sumerzît, ich fröuwe mich dîn
    daz ich mac beschouwen
eine süeze selderîn,
    mînes herzen frouwen.
eine dirne diu nach krûte
    gât, die hân ich zeinem trûte
    mir erkorn:
    ích bin ir ze dienst erborn.
        wart úmbe dich:
        swer verholne minne,
            der hüete sich!

Sî was mir den winter lanc
    vor versperret leider:
nú nimts ûf die heide ir ganc,
    in des meien kleider,
dâ si bluomen zeinem kranze
    brichet, den si zuo dem tanze
    tragen wil:
    dâ gekôse ich mit ir vil.
        wart úmbe dich:
        swer verholne minne,
            der hüete sich!

Ich fröu mich der lieben stunt
    sô si gât zem garten
und ir rôserôter munt
    mich ir heizet warten:
sô wirt hôhe mir zu muote,
    wán sist ûz ir muoter huote
    danne wol,
    vor der ich mich hüeten sol.

STEINMAR

Schau um dich!

Sommerzeit, wie froh ich bin,
   daß ich nun mag schauen
eine süße Häuslerin,
   meines Herzens Frauen.
Eine Dirne, die nach Kraute
   geht, ich habe sie als Traute
mir erkorn:
   ihr zum Dienst bin ich geborn.
     Schau um dich!
     Wer verhohlen minnt,
      der hüte sich!

Die vor mir den Winter lang
   leider eingeschlossen,
auf die Heide führt ihr Gang,
   wo die Blumen sprossen.
Blumen pflückt sie sich zum Kranze,
   den sie bei dem Maientanze
tragen will.
   Mit ihr kos ich da noch viel.
     Schau um dich!
     Wer verhohlen minnt,
      der hüte sich!

Freut mich doch die liebe Stund,
   so sie geht zum Garten
und ihr rosenroter Mund
   ihrer heißt mich warten.
Wie ermuntert dann mein Mut sich,
   wenn sie vor der Mutter Hut sich
fortgemacht!
   Vor ihr nehm ich mich in acht.

wart úmbe dich:
swer verholne minne,
der hüete sich!

Sît daz ich mich hüeten sol
vor ir muoter lâge,
herzeliep, du tuo sô wol,
balde ez mit mir wâge.
brich den truz und al die huote,
wan mir ist des wol ze muote,
sol ich leben:
dir sî lîp und guot gegeben!
wart úmbe dich:
swer verholne minne,
der hüete sich!

Steinmâr, hoehe dînen muot:
wirt dir diu vil hêre,
sist sô hübesch und sô guot,
hâst ir iemer êre.
dú bist an dem besten teile
der zer werlte fröude heile
hoeren sol:
dés wirstu gewert dâ wol.
wart úmbe dich:
swer verholne minne,
der hüete sich!

Schau um dich!
Wer verhohlen minnt,
der hüte sich!

Muß ich solche Achtsamkeit
vor der Mutter tragen,
Liebling, sei du bald bereit,
es mit mir zu wagen!
Überliste ihre Tücke
dir zum Glücke, mir zum Glücke!
Soll ich leben,
sei dir Leib und Gut gegeben!
Schau um dich!
Wer verhohlen minnt,
der hüte sich!

Steinmar, fasse frohen Mut,
daß sie zu dir kehre.
Die so hübsch ist und so gut,
bringt dir nichts als Ehre.
Was vom allerbesten Teile
dieser Welt zum Freudenheile
dienen kann,
das gehört in ihr dir an.
Schau um dich!
Wer verhohlen minnt,
der hüte sich!

KUONRAT DER SCHENKE VON LANDEGGE

Gruß an die schwäbische Geliebte

Mich muoz wunder hân
   wiez sich stelle bî dem Rîne,
   úmb den Bodemsê,
   ob der sumer sich dâ zer.
Francrîch hât den plân,
   den man siht in trüebem schîne:
   rîfen tuont in wê
   bî der Sêne und bî dem mer.
dise selben nôt hânts ouch bî Aene,
   dá ist ir fröude kranc.
   wunne und vogelsanc
   ist in Swâben, des ich waene:
dar sô jâmert mich
   nâch der schoenen minneclich.

Liep und allez guot
   wünsche ich ir die ich dâ meine,
   unde nîge aldar
   einer wîle tusentstunt.
ich hân mînen muot
   gar vereinet an si eine:
   swaz ich lande ervar,
   mir wart nie sô liebes kunt.
diu vil süeze reine wandels frîe
   zieret Swâbenlant:
   Hanegöu Brâbant
   Flandern Francrîch Picardîe
hât sô schoenes niht
   noch sô lieplich angesiht.

Swer erkennen wil
   fröude und werndez hôchgemüete,

KONRAD SCHENK VON LANDECK

Gruß an die schwäbische Geliebte

Wundern kommt mich an,
  wie es gehe bei dem Rheine,
  um den Bodensee,
  ob sich Sommer da verzehr'.
Frankreichs Plan für Plan
  sieht man stehn in trübem Scheine,
  Reif tut ihnen weh
  an die Seine und am Meer.
Gleiche Not auch hat es an der Aisne,
  da ist Freude bang.
  Wonne, Vogelsang
  herrscht in Schwaben, wie ich wähne.
So verlangt es mich
  nach der Schönen inniglich.

Liebe, alles Gut
  wünsch ich ihr, die ich da meine,
  neige tausendmal
  mich dorthin in einer Stund.
Ich hab meinen Mut
  angeknüpft an diese Eine:
  über Berg und Tal
  ward mir nie so Liebes kund.
Süß und sonder Makel: sie, nur sie
  ziert das Schwabenland.
  Hennegau, Brabant,
  Flandern, Frankreich, Pikardie
schmückt so Schönes nicht
  noch so gutes Angesicht.

Wer erfahren will
  Freude während im Gemüte,

dém gibe ich den rât,
dér für trûren sanfte tuot:
rehter fröuden spil
ist ein wîp in wîbes güete,
diu ir wîpheit hât
wîplich mit ir zuht behuot.
die sol er mit ganzen triuwen minnen,
als ich tuon ein wîp,
dér herze unde lîp
kan ûf wîbes lop sô sinnen,
dáz si ûz êren pfat
niemer kumt noch nie getrat.

WENZEL VON BEHEIN

Ganze Liebe

Uz hôher âventiure ein süeze werdekeit
hât Minne an mir ze liehte brâht.
ich siufte ûz herzeliebe, swenne ich denke dar,
dô sî mir gap ze minneclîcher arebeit,
als ich in wunsche hete gedâht,
sô zart ein wîp des ich mich iemer rüemen tar,
und doch alsô daz ez ir niht ze vâre stê.
si gap in grôzer liebe mir ein rîchez wê:
daz muoz ich tragen iemer mê,
ich enrûoche wém ez ze hérzen gê.

Mich bat mîn muot daz ich der lieben künde nam,
sô wol und wol mich iemer mê!
mîn volliu ger, mîn ougen weide und al mîn heil,
dô sî mir durch diu ougen in daz herze kam,
dô muoste ich werden baz dann ê
gein der vil klâren lôsen alze lange ein teil.

dem geb ich den Rat,
der für Trauer Wunder tut:
Echter Freuden Spiel
ist ein Weib in Weibes Güte,
die ihr Weibtum hat
recht mit Weibes Zucht in Hut.
Die soll er mit ganzer Treue minnen,
wie ich eine Frau.
Herz und Leib genau
ihr auf Frauenehre sinnen,
daß sie keinen Schritt
je von ihrem Pfade glitt.

KÖNIG WENZEL VON BÖHMEN

Ganze Liebe

Aus hohem Abenteuer süße Würdigkeit
hat Minne mir ans Licht gebracht.
Vor Lebensfreude seufz ich, denk ich nur daran,
da Liebe mir zu seliger Ergriffenheit,
wie kaum sich nur mein Wunsch gedacht,
ein Weib geschenkt, des ich mich immer rühmen kann,
und doch nur so, daß ihr Gefährdung nicht entsteh'.
In großer Freude schuf sie mir ein tiefes Weh.
Das muß ich tragen je und je.
Mich kümmert nicht, wem's zu Herzen geh'.

Mich trieb mein Sinn, daß ich der Lieben Obacht nahm,
drum wohl, o wohl mir mehr und mehr!
Mein vollster Wunsch, mein Augentrost und all mein Heil,
als durch die Augen sie hinein ins Herz mir kam,
da ward zu werben schwer, o schwer
um die Erlauchte, Linde, allzulange mir zuteil.

herze únde sinne gap ich ir ze dienste hin,
   al mîner fröuden ursprinc unde ein anbegin:
   si gap mir des ich iemer bin
   frô, únde ist doch mîn ungewin.

Reht alse ein rôse diu sich ûz ir klôsen lât,
   swenne sî des süezen touwes gert,
   sus bôt si mir ir zuckersüezen rôten munt.
swaz ie kein man zer werlte wunne enpfangen hât,
   daz ist ein niht: ich was gewert
   sô helfe berndes trôstes, ach der lieben stunt!
kein muot es niemer mê durchdenket noch volsaget
   waz lebender saelde mir was an ir gunst betaget.
   mit leide liebe wart gejaget:
   daz leit was frô, diu liebe klaget.

Diu Minne endarf mich strâfen ruomes, zwâr si endarf:
   swie gar ich umbevangen hete
   ir klâren zarten süezen lôsen lieben lîp,
nie stunt mîn wille wider ir kiusche sich entwarf,
   wan daz sich in mîn herze tete
   mit ganzer liebe daz vil minneclîche wîp.
mîn wille was den ougen und dem herzen leit,
   dem lîbe zorn daz ich sô trûten wehsel meit.
   diu ganze liebe daz besneit
   und ouch ir kiuschiu werdekeit.

Nu hábe er danc der sîner frouwen alsô pflege
   als ich der reinen senften fruht.
   ich brach der rôsen niht und hete ir doch gewalt.
si pflac mîns herzen ie und pfligt noch alle wege.
   ei, swenne ich bilde mir ir zuht,
   sô wirt mîn muot an fröuden alsô manicvalt,
daz ich vor lieber liebe niht gesprechen mac
   al mînes trôstes wunsch und mîner saelden tac.
   nie man sô werde mê gelac
   als ich, dô mîn diu liebe pflac.

Ihr gab ich Herz und Sinne ganz zu Dienste hin,
   all meiner Freuden Brunnenquell und Anbeginn.
   Ihr dank ich, daß ich fröhlich bin
   und dennoch mir zum Ungewinn.

So wie die Rose aus der Knospenklause drängt,
   wenn sie nach süßem Tau begehrt,
   bot sie mir ihren zuckersüßen, roten Mund.
Was auf der Welt ein Mann an Wonne irgend sonst empfängt,
   es ist ein Nichts. Mir ward beschert
   besorgter Hilfe Trost, zu guter Stunde kund.
Kein Sinn es jemals ganz durchdenkt und völlig sagt,
   welch selig Leben mir aus ihrer Gunst getagt.
   Mit Leid ward Freude da gejagt;
   das Leid war froh, die Freude klagt'.

Mich darf die Minne wahrlich nicht des Prahlens zeihn:
   wie inniglich ich auch umfing
   den reinen, zarten, süßen, linden, lieben Leib,
mein Wille wagte nicht, dem keuschen feind zu sein.
   Nur daß mir tief ins Herze ging
   mit tiefer Liebe das so minnigliche Weib.
Mein Wille lag mit Herz und Augen zwar im Streit,
   daß ich dem Leib zum Zorn blieb voll Besonnenheit,
   der *ganzen Liebe* treu geweiht
   und ihrer teuren Lauterkeit.

So hab' er Dank, der seiner Lieben also pflegt
   wie ich der reinen, sanften Frucht.
   Ich brach die Rose nicht und hatte doch die Macht.
Die Freude währt, die meine Seele für sie hegt.
   Gedenk ich nur an ihre Zucht,
   wird mein Gemüt in Freuden also hell entfacht,
daß ich vor lieber Liebe nicht ansprechen kann
   sie, die mir Trostes Wunsch, den Tag des Heils gewann.
   So selig war noch nie ein Mann
   wie ich, da sie mir wohlgetan.

JOHANS HADLOUB

Sie küßt ein Kind

Ach ich sach si triuten wol ein kindelîn,
  dâ vón wart mîn   muot liebs ermant.
sî umbvienc ez unde druhte ez nâhe an sich:
  dâ vón dâht ich   lieplich zehant.
si nám sîn antlüt in ir hende wîz
  únde druhte ez an ir munt, ir wengel klâr:
  owê sô gâr   wol kuste sîz.

Ez tet ouch ze wâre áls ich haet getân:
  ich sách umbvân   ez oúch si dô.
ez tet reht als ez entstüende ir wunnen sich,
  des dûhte mich,   ez was sô frô.
dô enmôhte ich éz niht âne nît verlân:
  ích gedâhte: ›owê waer ich daz kindelîn,
  unz dáz si sîn   wil minne hân.‹

Ich nam wár dôz kindelîn êrst kam von ir,
  ich namz zuo mir   lieplich ouch dô.
éz dûht mich sô guot, wan sîz ê druhte an sich:
  dâ vón wart ich   sîn gár sô frô.
ich úmbvienc ez, wan sîz ê schône umbvie,
  únd kustz an die stát swâz vón ir kust ê was:
  wie mír doch daz   ze herzen gie!

Mán giht, mir sî niht als ernstlich wê nâch ir
  als sîz von mir   vernomen hant,
ích sî gsúnt: ich waer vil siech und siechlich var,
  taet mír sô gar   wê minne bant.
daz mánz niht an mir siht, doch lîde ich nôt,
  dáz füegt guot geding, der hilft mir al dâ her:
  und liez mich der,   sô waere ich tôt.

JOHANNES HADLAUB

Sie küßt ein Kind

Ach ich sah sie herzen wohl ein Kindelein.
  Davon ward mein   Gemüt entfacht.
Sie umfing das Kind und drückt' es fest an sich:
  da dacht' auch ich   an Liebesmacht.
Das Antlitz nahm sie in die Hände weiß,
  preßt' es an die Wangen, preßt' es an den Mund.
  Weh mir zur Stund!   Sie küßte heiß.

Und es tat, wie gern ich selbst getan, das Kind.
  Ich sah: geschwind   küßt es sie so,
als ob es auf die Liebeslust verstände sich.
  Drum dünkte mich,   es war so froh.
Da hat mich wohl ein leiser Neid geschmerzt.
  Ach, so war mir, könnt' ich nur das Kindelein
  so lange sein,   als sie es herzt!

Acht gab ich, als eben kam das Kind von ihr.
  Ich nahm's zu mir,   es herzend so.
Ward mir doch so wohl, da sie's gedrückt an sich.
  Darum war ich   auch seiner froh.
Auch ich umfing es, wie sie es umfing,
  küßte alle Stellen, die geküßt von ihr.
  O wie das mir   zu Herzen ging!

Zwar man sagt, mir sei nicht ernstlich weh nach ihr,
  wie man es hier   und dort so hört.
Ich sei ganz gesund. Wär' siech und blaß ich sehr,
  dann wär' ich mehr   von Leid verstört.
Sieht's keiner auch: ich leide Liebesnot.
  Nur die gute Hoffnung hilft mir noch bisher.
  Wenn die nicht wär',   so wär' ich tot.

Der edle Sang

Swem ist mit edlem sange wol,
   des herze ist vol   gar edler sinne.
   sanc ist ein sô gar edlez guot.
er kumt von edlem sinne dar:
   durch frouwen klâr,   durch edel minne,
   von den zwein kumt sô hôher muot.
waz waer diu welt, enwaeren wîp sô schoene?
   durch sî wirt sô vil süezekeit,
   durch sî man wól singt unde seit
   sô guot gereit   und süez gedoene:
   ir wunne sanc ûz herzen treit.

Der edle Sang

Wen freut des edlen Sanges Brauch,
  des Herz ist auch   erhabner Sinne.
  Gesang gilt als ein kostbar Gut.
Er stellt bei hohem Geist sich ein:
  durch Frauen rein,   durch edle Minne,
  durch beide kommt so hehrer Mut.
Was wär' die Welt, wär' nicht die Schar der Schönen?
  Sie ist's, die soviel Süße bringt,
sie ist's, um die man sagt und singt,
  was echt erklingt   in süßen Tönen:
  ihr Reiz das Herz zum Liede zwingt.

Anmerkungen

Zur Aussprache der mittelhochdeutschen Texte

Einfacher Vokal in offener Silbe (Schreibung ohne Zirkumflex) ist als kurzer Vokal zu werten. Zweisilbige Reime mit kurzoffenen Stammsilben *(lebe:gebe, genesen:wesen)* werden im Versgefüge einsilbigen Reimen *(vol:wol, bant:erkant, guot:tuot)* gleichgesetzt.
Klingende Reime verlangen stets ein Reimwort mit langer Stammsilbe *(lône:schône, schouwen:frouwen, gelingen:singen)*. Sie sind in älterer Zeit stets schwerklingende Reime, die zwei Sprechtakten (´ `) entsprechen; in späterer Zeit auch leicht klingende Reime, die wie im Neuhochdeutschen nur einen Sprechtakt vertreten.
Der Doppellaut *iu* ist nur noch Schreibe, er ist als *ü* zu sprechen.
Inlautendes *z* zwischen Vokalen *(stôzen, wizzen)* entspricht neuhochdeutschem scharfem *s* (= *ss*, *ß*). Dasselbe gilt für auslautendes *z*, soweit es zu Worten gehört, in deren Inlaut es als *z* nicht als *tz* erscheint. So hat *z* = *ss*, *ß:grôz* (vgl. *grôze*), *z* = *tz:der saz* (vgl. *des satzes*). Ursache dieser zweideutigen *z*-Schreibung ist, daß das alte *s (gras, gewesen)* bis etwa zur Mitte des 13. Jahrhunderts in der Aussprache nach dem *sch* hinüberklingt.

Hilfen für das Verständnis der mittelhochdeutschen Texte

I. FRÜHE KLÄNGE

Namenlose Lieder

Auf der Heide: wan (im Fragesatz) warum nicht.
Mahnung: jârlanc von jetzt an das Jahr hindurch. *wan* denn.

Der von Kürenberc

Verlangen und Abwehr: ald ich geniete mich sîn oder ich dränge mich verlangend zu ihm.

Meinloh von Sevelingen

Unvergängliche Minne: aber abermals.
Weh den Merkern!: wizzen (Konj.!) nun mögen . . . sie wissen.

Dietmar von Eist

Minneklagen: wan diu huote wörtlich: »außer die Aufsicht« = wenn nicht ... wäre. *joch* noch (mit Inversion des Verbums). *wes* (Gen.) warum. *ze kâle* = ze quâle.

Abschied am Morgen: friedel der Geliebte in einem bindenden Verhältnis. *Wâfen* = Warn- und Notruf.

II. NEUER SANG

Henrik van Veldeke

Rechte Minne: merelâre Schwarzdrossel *(merula)*. *lîve mâre* = liebiu maere. *rouwe* (Mask.) = *riuwe* (Fem.) Schmerz, Seelenschmerz. *irde* = Praeteritum zu *irren* irre machen. *mûste* (= mhd. *muose*) durfte. *wîc* = *wîch* (Mask.) das Weichen, Wanken. *blîde* (Adj.) froh, heiter, dazu *dî blîtscap*.

Friderich von Husen

Minnenot: Sog. daktylischer Rhythmus. *lie* = *liez* (Praeteritum zu *lâzen*). *getorste* Praeteritum zu *turren* wagen, sich getrauen.

Heimweh: rouwen = *riuwen* Schmerz empfinden. *schîn tuon* sichtbar machen, bekunden. *wâre, swâre, mâre* = *waere, swaere, maere*. *friesche* Konj. Prät. zu *freischen* vernehmen.

Wahl des Herzens: ernenden sich an etwas heranwagen. *wan daz* außer daß, nur. *verban* Praeteritopraesens zu *verbunnen* mißgönnen. *verbern* aufgeben. *unmaere* gleichgültig.

Kaiser Heinrich

Minne und Krone: Sog. daktylischer Rhythmus. *diu liebe* (3. Str.) die Geliebte. *vermezzen* (mit Gen.) sich etwas zumessen, etwas von sich behaupten.

III. ERFÜLLTE ZEIT

Hartman von Ouwe

Absage und Rückkehr: Hier nur die Strophen der ›Kleinen Heidelberger Handschrift‹ (A); die Manessische Handschrift (C) hat zwei weitere Strophen. Der Vortragende hatte wohl die Auswahl. *der antheiz* das Gelübde. *ê der tage, ê* bei Zeiten, ehe ... *für dise*

zît: gemeint ist die kommende Zeit. *wan daz er sich versiht* außer
daß er die Zuversicht hat. *der gedinge* die Hoffnung. *doch wenn-
gleich. der habe im daz* der verhalte sich so. *in betrâget sîner jâre
vil* wörtlich: ihn verdrießt es seiner Jahre viel.

Reinmar

Die Klage der Witwe: aenic ledig (Adj. zu *âne* ohne). *wiel* (Prae-
teritum zu *wallen*) wallte. *wan* denn.
Der Minne bleiche Farbe: gît gibt. *gedagen* (mit Gen.) schweigen
(zu). *der andern frouwe* der anderen (Tugenden) Herrin. *guot
gebite* gutes (vornehmes) Abwarten.

Heinrich von Morungen

Selige Tage: ein hügender wân eine frohstimmende (heitere) Hoff-
nung.
Minnezauber: vên (vêhen) hassen (vgl. die Fehde). *wan* mit Kon-
junktiv: Ausdruck des Wunsches. *krenken* schwach machen.
Nein, ja!: du sprêche (spraeche) du sprachst.
Auf mein Grab: muoten (Praeteritum zu *müejen*) machten Mühe.
her bis hierhin.
Seelenminne: ernôten nötigen (zu etwas).

Albreht von Johansdorf

Wunsch vor der Kreuzfahrt: wern gewähren.
Minne und Treue: waene = waene ich. al die wîle unz solange
als. *verbern* meiden, verschonen.

Walther von der Vogelweide

Der Minne Gewalt: decheinen irgend einen. *war* wohin, *dar* dort-
hin. *balt* kühn, dreist.
Maiwunder: swar wohin. *gemeit* fröhlich. *dörperheit* ungepflegtes
Benehmen (flämisches Modewort der Zeit).
Zweisamkeit: unmaere gleichgültig. *sumelîche* irgendwelche, man-
che. *maere* bekannt, (der Rede) wert.
Traumliebe: tougen heimlich. *lihte wirt mir einiu* vielleicht wird
mir die bestimmte eine.
Unter der Linde: Ein »Friedel«-Lied (vgl. ›Abschied am Morgen‹
unter Dietmar von Eist). *hêre frouwe* Anrede des »Friedels« an
die Geliebte? Oder beseligter Anruf der Geliebten an Maria? Es
bleibt in der Schwebe!

Das bessere Spiel: under stunden bisweilen. *ir müeset* (Konj. Praet.) ihr müßtet.

Männerwille, Frauensitte: gemuoten (mit Dativ der Person) erstreben, verlangen.

Wolfram von Eschenbach

Der Drache Tag: dîn kus mir in an gewan dein Kuß gewann mir ihn ab. *ninder* nirgends, durchaus nicht. *dicke* oft. *daz ellen* Mut, Tapferkeit.

Wächter, schweig!: du sunge du sangst. *du riete* du rietest. *(er, man) darf* (er, man) braucht.

IV. WENDE UND NACHKLANG

Nithart

Sag mir den Namen: brîsen schnüren. *zâfen* (reflexiv) sich zieren, schmücken. *der* (Gen.) . . . *getiuwert* durch die er geehrt wäre. *hînt* heute nacht.

Mutter und Tochter: tougen heimlich. *behalte hinne vür dîn lougen* Schweig statt zu leugnen. Das »Hütchen« (»Häubchen«) ist Zeichen verlorener Jungfräulichkeit. *kradem* Lärm. *gadem* Gemach. *gickelvêh* scheckig bunt.

Winterfreude: gofenanz (altfranz. *convenance*) Tanzvergnügen. *dar* dorthin. *schrage:* hier die Musikantenbühne. *brâ* Braue. *tehtier = testier* (Sturmhaube). *diu riutel* Pflugräute. *jenenther* von drüben her. *kal* kahl.

Friderich von Liningen

Fahr hin zu guter Stunde: wilden (intrans.) fremd sein. *in arebeite* in Mühsal, Not.

Uolrich von Liehtenstein

Frohes Hoffen: die wîl ez niht baz envar solange es nicht besser geht. *mit willen* aus freiem Willen. *muoten* (mit Gen.) etwas begehren. *wan* denn.

Der Ritter beim Ausritt: dem libe enplanden (enblanden) sich schwer werden lassen, sich anstrengen. *sêr* (Neutr., Mask.), *sêre* (Fem.) Schmerz, Qual. *blecken* sichtbar werden.

Burkart von Hohenvels

Die Arme und die Reiche: wan mit dem Konj. *(wan waere si tôt):*
Ausdruck des Wunsches. *niender* nirgend.
Freude und Freiheit: kôsen plaudern. *lôsen* (intr.) gelöst sein. *sich
gesten* sich bekleiden.
Ruhe bei ihr: ebenhoehe (»Gleichhöhe«), *katze, mange* (Glätt-
walze): Belagerungsmaschinen. *diu twâle* das (sich säumende) Ver-
weilen.

Gotfrit von Nifen

Bitte um Trost: Die Schlüsse der Strophen ordnen sich zu dem
Vokalspiel *î, ê, â, ô, û. diu bluot* die Blüte. *büezen* mit Dat. und
Gen. jemanden von etwas frei machen. *hulden* huldigen. *tougen*
heimlich.

Uolrich von Winterstetten

Macht der Lieder: gelfen schreien. *obe er iht guotes sunge* (im
negativen Zusammenhang): wenn er nichts Gutes sänge. *hoene*
schmähsüchtig, schändend, hochfahrend. *gestant = stant = stâ*: Im-
perativ in einem Satz, der einen Bedingungssatz vertritt. *ald* oder.

Der Tanhuser

Der Winter ist zergangen: schanze = chance (Glückswurf, Wagnis).
kôsen plaudern. *toubieren* abgeleitet von *tuba* (Trompete). *faitiure*
Gestalt. *reitval* krausfahl. *daz diehel* der Schenkel. *contrâte* Ge-
gend, Landstrich *(contrêe). ein gemellîchez* ein Scherzhaftes. *granze*
(altfranz. *greance*) Einwilligung. *sumber* Handtrommel. *seite*
(Mask.!) Saite.

V. SPÄTE KLÄNGE

Kuonrat von Würzeburc

Ganze Freude: âne tuft ohne Dunst, Nebel, Reif. *diu bolle* Knospe.
vogellîn: hier alles Fliegende, auch die Bienen. *diu genuht* die
Fülle, der Überfluß. *glanz* (Adj.) glänzend.
Herbstliches Trauern: sich velwen sich fahl machen. *selwen* dunkel-
farbig, welk machen. *dîn stiure* deine Hilfe.

Der wilde Alexander

Minneleid: bî liebe bei der Geliebten. *schimpflich* scherzhaft, kurz-
weilig.

Steinmar

Schau um dich: diu lâge der Hinterhalt. *hoeren* gehören.

Kuonrat der schenke von Landegge

Gruß an die schwäbische Geliebte: der wandel der Wechsel, Makel.

Wenzel von Behein

Ganze Liebe: tar Praeteritopraesens zum Inf. *turren:* wagen. *lôse* gelöst, anmutig, anschmiegend. *sich entwerfen* sich aufwerfen.

Johans Hadloub

Sie küßt ein Kind: Selbständiger Schlußteil eines Gefüges von neun Strophen. *zehant* sogleich. *unz daz* solange als. *lieplich* (Str. 3) liebend, liebkosend. *wan* weil. *doch* obwohl. *hant* (Str. 4) alemannisch = *hânt* (sie haben).
Der edle Sang: Schlußstrophe eines dreistrophigen Gesanges, der Rüdeger II. Manesse und seinen Sohn Johannes Manesse feiert. *gereit* (Partiz. = *gereitet*) zugerüstet. *treit* = *treget.*

Die Dichter und ihre Lieder

Germanische Zeit und Mittelalter

TEXTAUSGABEN DER UNIVERSAL-BIBLIOTHEK (AUSWAHL)

Beowulf und das Finnsburg-Bruchstück. Aus dem Angelsächsischen übertragen und eingeleitet von Felix Genzmer. 430

Deutscher Minnesang (1150–1300). Einführung sowie Auswahl und Ausgabe der Texte von Friedrich Neumann. Nachdichtung von Kurt Erich Meurer. 7857/58

Die Götterlieder der älteren Edda. Übersetzung von Karl Simrock, neu bearbeitet und eingeleitet von Hans Kuhn. 781

Heldenlieder der Edda. Auswahl. Übertragen, eingeleitet und erläutert von Felix Genzmer. 7746

Einhard, Vita Karoli Magni / Das Leben Karls des Großen. Übersetzung, Nachwort und Anmerkungen von Evelyn Scherabon Coleman. 1996

Hartmann von Aue, Der arme Heinrich. Text des Originals und Nacherzählung der Brüder Grimm. Herausgegeben von Friedrich Neumann. 456
Gregorius. Mittelhochdeutscher Text nach der Ausgabe von Friedrich Neumann. Übertragung von Burkhard Kippenberg. Nachwort von Hugo Kuhn. 1787/87a/b

Heliand und die Bruchstücke der Genesis. Aus dem Altsächsischen und Angelsächsischen übertragen und eingeleitet von Felix Genzmer. 3324/25

Hrotsvitha von Gandersheim, Dulcitius. Abraham. Dramen. Übersetzung und Nachwort von Karl Langosch. 7524

Johannes von Tepl. Der Ackermann aus Böhmen. Mittelhochdeutscher Text nach Arthur Hübner. Übertragung, Nachwort und Anmerkungen von Felix Genzmer. 7666

Konrad von Würzburg, Heinrich von Kempten. Der Welt Lohn. Das Herzmaere. Mittelhochdeutscher Text nach der Ausgabe von Edward Schröder. Übersetzt, mit Anmerkungen und einem Nachwort versehen von Heinz Rölleke. 2855/55a

Kudrun (Gudrun). Übersetzung von Karl Simrock, eingeleitet und überarbeitet von Friedrich Neumann. 465-67

Die Lieder des Archipoeta. Lateinisch und deutsch. Übersetzung und Nachwort von Karl Langosch. 8942

Ludus de Antichristo / Das Spiel vom Antichrist. Lateinisch und deutsch. Übersetzung und Nachwort von Rolf Engelsing. 8561

Neidhart von Reuental, Lieder. Auswahl. Mit den Noten zu neun Liedern. Mittelhochdeutsch und neuhochdeutsch. Herausgegeben und übersetzt von Helmut Lomnitzer. 6927/28

Das Nibelungenlied. Übersetzt, eingeleitet und erläutert von Felix Genzmer. 642-45 (auch geb.)

Osterspiele. Das Innsbrucker Osterspiel. Das Osterspiel von Muri. Mittelhochdeutsch und neuhochdeutsch. Herausgegeben und übersetzt von Rudolf Meier. 8660/61

Reineke Fuchs. Das niederdeutsche Epos Reynke de Vos von 1498 mit 40 Holzschnitten des Originals. Übertragung und Nachwort von Karl Langosch. 8768-71 (auch geb.)

Sachsenspiegel (Landrecht). Herausgegeben von Frhr. v. Schwerin, eingeleitet von Hans Thieme. 3355/56

Thomas von Kempen, Das Buch von der Nachfolge Christi. Übersetzung von J. M. Sailer, bearbeitet von Walter Kröber. 7663 bis 7665 (auch geb.)

Das Waltharilied und die Waldere-Bruchstücke. Übertragen, eingeleitet und erläutert von Felix Genzmer. 4174

Wernher der Gärtner, Meier Helmbrecht. Versnovelle. Übertragung von Johannes Ninck. 1188

Wolfram von Eschenbach, Parzival. Eine Auswahl. Auf Grund der Übertragung von Wilhelm Hertz herausgegeben von Walther Hofstaetter. 7451

Lieder von Oswald von Wolkenstein. Mittelhochdeutsch und neuhochdeutsch. Auswahl. Herausgegeben, übersetzt und erläutert von Burghart Wachinger. 2839/40

PHILIPP RECLAM JUN. STUTTGART